2021개정판

BT
REPORT

블록체인 물류분야 산업분석보고서

저자 비피기술거래 비피제이기술거래

㈜ 비티타임즈

<제목 차례>

Ⅰ. 서론

1. 서론

[그림 1] 블록체인

블록체인이라는 개념이 등장한 초기, 블록체인보다는 블록체인의 보상으로 지급되는 비트코인이 큰 관심을 얻었다. 하지만 비트코인의 거품이 빠지면서 현재 많은 회사와 국가들은 블록체인이라는 기술 자체에 관심을 가지고 있으며, 이를 여러 산업에 적용하기 위해 연구, 개발을 지속하고 있다.

블록체인, 최근 많은 산업분야에서 기존의 문제점을 해결하기 위해 가장 많이 언급되고 있는 기술이다. 블록체인은 물류산업의 디지털 전환을 이끌 핵심기술로 주목을 받고 있다. 즉, 블록체인은 물류와 공급망 관리 분야에서 큰 문제로 거론되고 있는 '투명성'을 만드는 기술이라고 할 수 있다.

특히 블록체인을 주도할 분야로 물류, 금융, 헬스케어, 에너지가 떠오르면서 물류에서의 블록체인은 많은 기업과 국가의 관심을 받고 있다. 블록체인의 가장 큰 장점인 위변조가 불가능하게 저장된 분산장부는 앞서 주목 받는 분야들의 가장 큰 문제점을 쉽게 해결할 수 있을 것으로 보인다.

본 보고서에서는 블록체인의 개념부터, 물류에서의 적용방안, 현재 기술 동향과 사례들을 통해 국내에서는 아직 크게 발전하지 못한 블록체인 물류에 대해 살펴보고자 한다.

Ⅱ. 4차산업혁명과 블록체인

2. 4차 산업혁명과 블록체인

가. 4차 산업혁명

인류는 지금까지 크게 4번의 산업혁명을 통해 성장해왔다고 할 수 있다. 기계화에 따른 1차 산업혁명, 전기 에너지에 기반을 둔 2차 산업혁명, 컴퓨터와 인터넷을 기반으로 하는 3차 산업혁명 그리고 지능과 정보에 기반을 둔 4차 산업혁명을 통해 생산성을 고도화 할 수 있었고, 그때마다 사회와 산업의 구조를 획기적으로 바꾸었다.

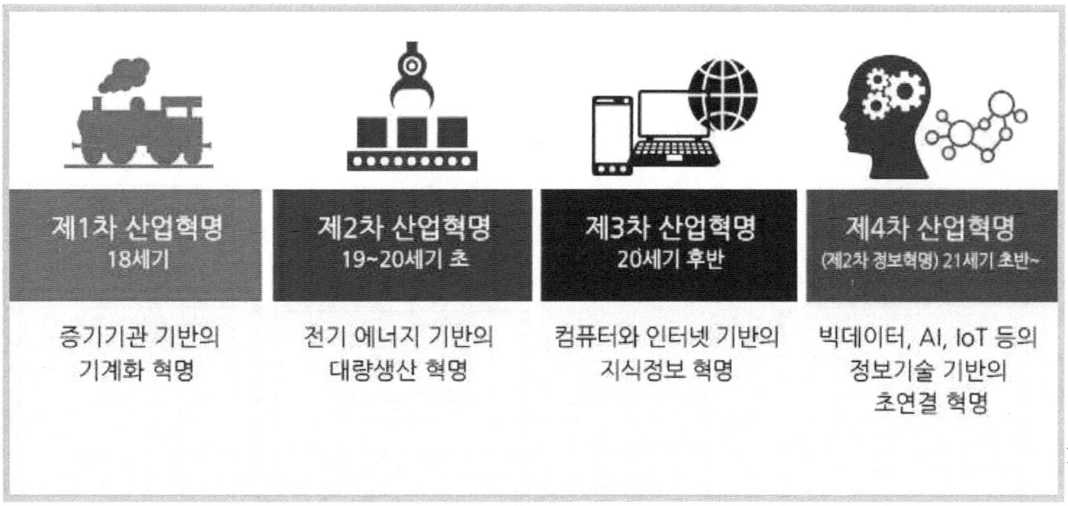

[1]

[그림 3] 4차 산업혁명

4차 산업혁명은 정보통신기술(ICT)이 제조업과 같은 다양한 산업들과 결합하며 지금까지는 볼 수 없었던 새로운 형태의 제품과 서비스, 비즈니스를 만들어 내는 것을 말한다.

4차 산업혁명의 시대를 맞이하여 사물인터넷, 자율주행과 같은 기술들이 큰 주목을 받고 있으며, 이러한 기술의 핵심에는 바로 “연결”이 있다고 해도 과언이 아니다. 지금까지는 단순히 사람과 제품, 제품과 제품의 연결에 집중했던 것과 달리, 4차 산업혁명에는 연결을 통해 어떻게 우리의 삶을 바꿀 수 있을 것인가에 초점을 두고 있다고 할 수 있다.

2016년 다보스 포럼에서 4차 산업혁명은 “모든 것이 연결되고 보다 지능적인 사회로 진화시켰다”고 선언된 것 과 같이, 4차 산업혁명을 통해 우리는 바로 “초연결 사회”로 진입했다고 할 수 있다.

---

1) 4차 산업혁명과 배터리, 삼성SDI

1) 초연결사회란?

그렇다면 도대체 초연결사회란 어떠한 사회를 말하는 것일까?

먼저, '초연결(Hyper-connectivity)'은 2008년 미국 시장조사업체인 가트너가 사람과 사람, 사람과 사물, 사물과 사물이 연결된 상황을 지칭하기 위해 처음 사용했고, 이후 2011년 서울디지털포럼에서 초연결사회를 주제로 기술의 진보와 사회와의 관계성을 논의하기도 했다.

이후, 2012년 세계경제포럼(WEF)에서는 글로벌 경제사회의 변화와 쟁점, 위기대응 방안으로 초연결을 집중 토의하면서 초연결은 더욱 많은 주목을 받기 시작했다.

구분		정의 및 중요성
해외기관	**이코노미스트(2011)**	네트워크에 연결된 기기의 수가 증가함에 따라 기존보다 높은 수준의 성장과 가치 있는 거시 경제 트렌드 변화를 전망
	CISCO(2011)	네트워크에 연결된 사물(Things)이 2008년과 2009년 사이 전 세계 인구를 이미 초과하여 초연결 시대로 가고 있음을 제시
	세계경제포럼(2012)	새로운 기회와 도전 과제를 제공할 수 있는 초연결이 개인-개인, 소비자-기업, 국민정부 등의 관계를 재정립하는데 깊이 관련되어 있으며, 경제·사회적 변화의 근본적인 원인으로 강조
	세계경제포럼(2016)	글로벌 위기 대안으로 4차 산업혁명을 강조하고 4차 산업혁명의 핵심으로 초연결에 주목
	클라우드 슈밥(2016)	예측 불가능한 초연결사회가 자리 잡게 하기 위해서는 전 세계적인 공동 담론을 형성해야 한다는 점을 거듭 강조
국내기관	**서울디지털포럼(2011)**	'초연결사회-함께하는 미래를 향하여'를 주제로 기술 진보 및 사회와의 관계성을 논의
	정보통신정책연구원(2015)	'초연결 사회'라는 변화된 환경을 국민편익과 산업발전으로 연결시키기 위한 다양한 정책지원과 전략 마련의 필요성 강조
	미래부, 산자부(2016)	'제4차 산업혁명을 이끄는 초연결사회로의 도래'를 중심으로 따른 구체적인 전략과 대표적인 사례들이 제시

[표 1] 국내외 기관들의 초연결사회 정의 및 중요성

2)

2) 4차 산업혁명과 초연결사회, 변화할 미래 산업, 삼정 KPMG 경제연구원, 2017.06

초연결사회란 사람, 사물, 공간 등 모든 것들이 인터넷으로 연결되어, 모든 것에 대한 정보가 생성되거나 수집되고 공유, 활용되는 사회로 모든 사물과 공간의 소통으로 새로운 사회가 열리는 것이다. 즉, 초연결 사회에서는 인간 대 인간은 물론, 기기와 사물과 같은 무생물 객체끼리도 네트워크를 바탕으로 상호 유기적인 소통이 가능해진다.

과거 컴퓨터, 스마트폰으로 소통하던 정보화 사회와 모바일 사회와는 다르게, 초연결 사회에서는 초연결 네트워크를 통해 모든 것이 긴밀히 연결되어 있기 때문에 오프라인과 온라인이 융합되어 새로운 성장과 가치 창출의 기회가 증가할 것으로 전망된다.

무엇보다, 사물인터넷, 인공지능, 센서 등과 같은 기술의 발달로 인해 제조, 유통, 의료, 교육 등 다양한 분야에서 지능적이고 혁신적인 서비스의 제공이 가능해진다. 초연결사회가 가져올 변화는 단지 기존의 인터넷과 모바일 발전의 맥락이 아닌, 우리가 살아가는 방식 전체, 즉 사회의 관점에서 큰 변화를 가져올 것으로 보인다.

	정보화사회	모바일사회	초연결사회
수단	컴퓨터	스마트폰	초연결 네트워크
패러다임	디지털화, 전산화	온라인화, 소셜화	지능화, 사물정보화
시스템 (유통, 교육, 공공)	오프라인(물리적 공간)	온라인(가상공간)	오프라인과 온라인 융합
통신	유선전화	무선전화(3G, LTE)	무선전화(5G)
커뮤니케이션	우편	E-mail	SNS
교통	내연기관	그린카, 네비게이션	ITS, 자율주행차

[3]

[그림 4] 사회 변화와 초연결사회의 도래

3) 4차 산업혁명과 초연결사회, 변화활 미래 산업, 삼정 KPMG 경제연구원, 2017.06

2) 초연결사회의 중요성

최근 국내외 주요기관들은 '초연결사회'에 집중하고 있다. 특히, 4차 산업혁명을 이끄는 주요 특징으로 초연결사회의 중요성 역시 더욱 강조되고 있는데, 2016년 세계경제포럼에 따르면 초연결사회는 10년 내 도래하여 2025년에는 1조개의 센서가 인터넷에 연결되는 등 4차 산업혁명의 시대를 이끌어갈 주요 동력이 될 것으로 전망된다.

이처럼 전 세계는 사람·데이터·사물 등 모든 것이 네트워크로 연결된 초연결사회로 접어들고 있다. 초연결사회를 이끄는 IT기술들은 지금 이 순간에도 급격히 진화하고 있으며, 타 산업 분야와의 융합을 통해 우리 삶의 다양한 영역에서 변화를 가져오고 있다.

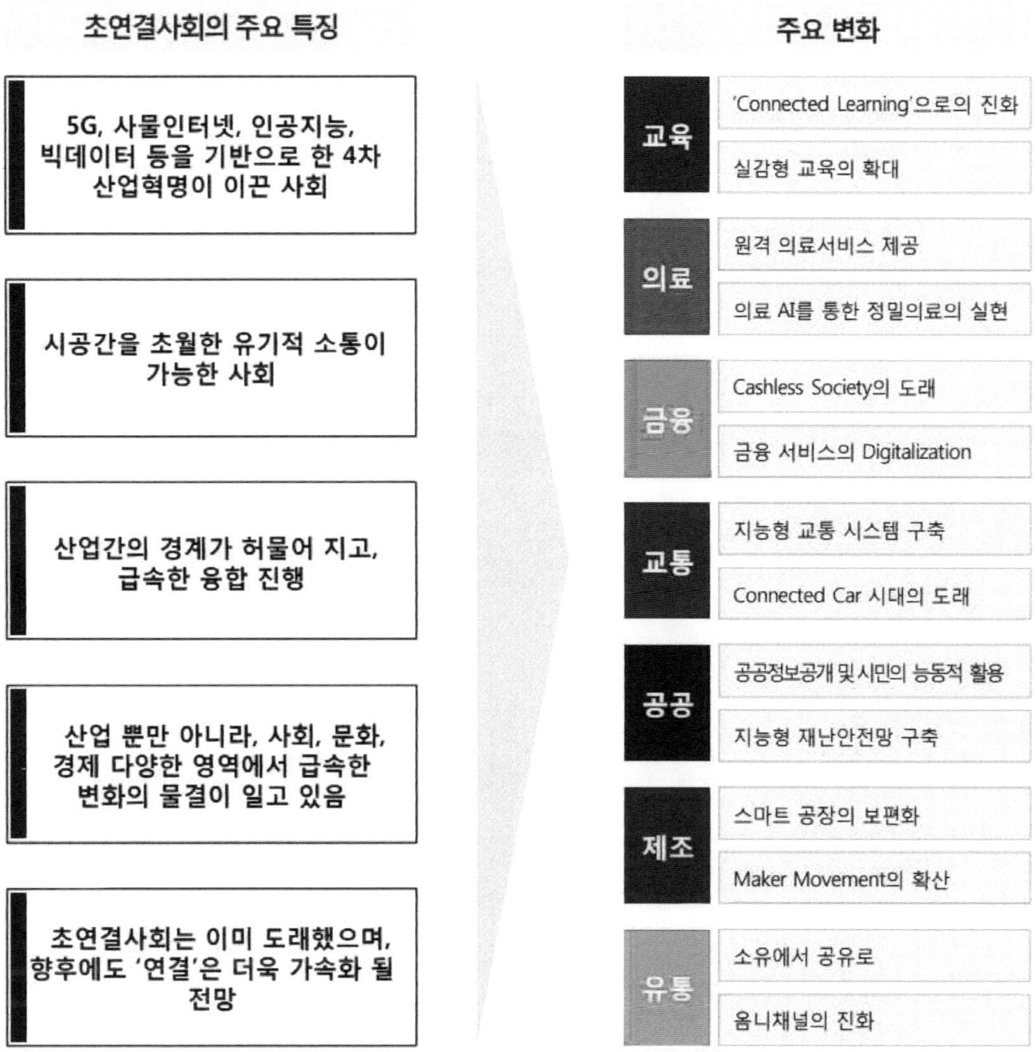

[4]

[그림 5] 초연결사회의 도래에 따른 주요 분야별 미래 변화 방향

4) 4차 산업혁명과 초연결사회, 변화할 미래 산업, 삼정 KPMG 경제연구원, 2017.06

3) 초연결시대를 위한 전략[5)]

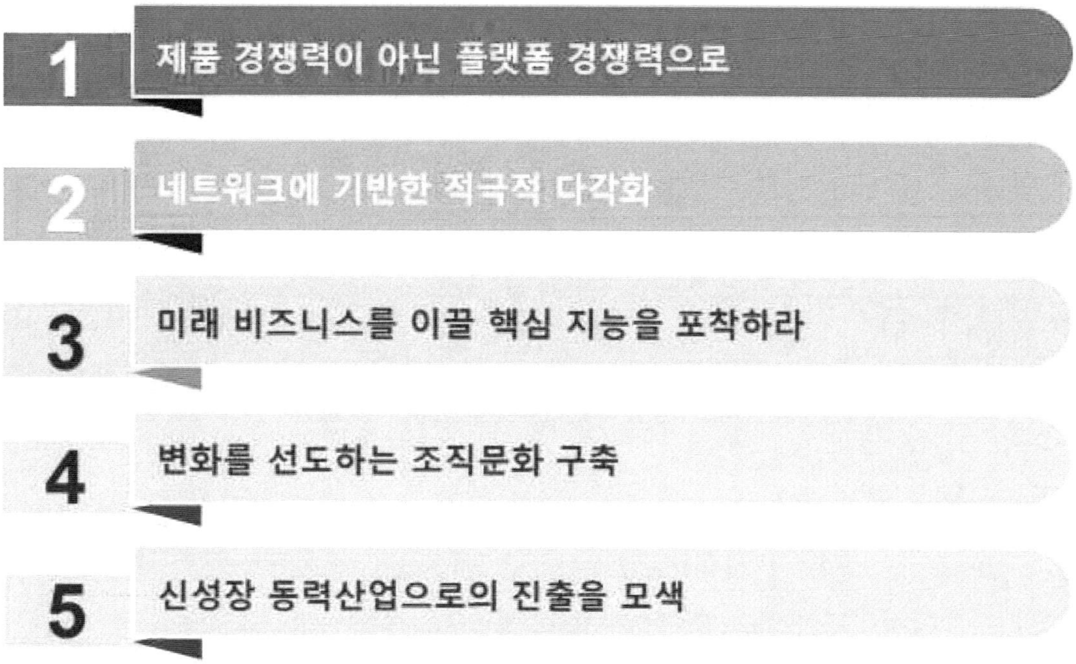

[그림 6] 초연결사회에 대비하기 위한 전략적 시사점

가) 제품 경쟁력이 아닌 플랫폼 경쟁력으로

모든 산업이 플랫폼 기반으로 변화하면서, 시장 내 경쟁구도가 크게 바뀔 것으로 전망된다. 과거에는 제품, 브랜드, 가격 등이 주요한 경쟁력의 요소가 되었다면, 초연결사회에는 플랫폼이 주된 경쟁력이 될 것이다.

따라서, 선도적이고 영향력이 큰 플랫폼을 보유한 기업들은 장기간 경쟁우위를 지속할 가능성이 크다. 특히, 제품이나 서비스에 있어서 경쟁력을 가진 기업들은 수많은 후발주자들에 의해 추격될 수 있으나, 플랫폼 경쟁력은 추격되기 어려운 특징이 있기 때문에, 기업에 있어 선도적으로 범용화 가능한 플랫폼을 구축하고, 소비자들에게 이를 적극적으로 보급하는 일은 지속가능성장의 관건이 될 것이다.

5) 4차 산업혁명과 초연결사회, 변화할 미래 산업, 삼정 KPMG 경제연구원, 2017.06

나) 네트워크에 기반한 적극적 다각화

초연결사회에는 산업간 경계가 소멸되고 소프트웨어 애플리케이션, 네트워킹, 컴퓨팅 기능을 기반으로 여러 기업들이 수평적 협력관계를 체결할 것으로 전망된다. 따라서 제조업, 금융 산업, 의료서비스업, 유통업 등에 걸쳐 네트워크가 짜여지고, 이를 기반으로 협력관계를 형성해 갈 수 있다. 혹은 한 기업이 네트워크에 기반을 두어 다양한 산업 영역으로 다각화 해 나갈 수 있다. 그러므로 기업들은 플랫폼에 기반을 두어 다양한 산업으로 적극적인 다각화 전략을 꾀할 필요가 있다.

다) 미래 비즈니스를 이끌 핵심 지능을 포착하라

자본이 주된 생산요소였던 사회에서 벗어나 초연결사회에서는 생산요소가 지식과 지능이 될 것이다. 이런 시점에 기업들은 미래 비즈니스에 활용될 핵심적인 범용적 기술을 확보해야만 한다.

초연결사회에서는 알고리즘, 빅데이터, 소프트웨어적 인프라, 네트워크 등 핵심적 기술을 보유한 기업이 미래 비즈니스를 이끌 것이다. 특히, 기업들은 해당 산업에 적합한 유망한 지식 및 지능을 선제적으로 축적하고, 미래 비즈니스를 개척할 필요가 있다.

만약 전통적 산업에 머물게 된다면 선도 기업에게 미래 비즈니스를 빼앗기고, 전통 산업마저 후발주자에게 빼앗기고 말 것이다.

라) 변화를 선도하는 조직문화 구축

초연결사회에서 성공적인 기업경영을 위해서는 유연한 조직문화를 바탕으로 변화를 선도해 나가야 하기 때문에, 그 어느 때보다 유연한 조직문화 형성이 중요해 질 수 있다. 그 결과, 기업과 기업의 협업이 확대되고, 기업 내 부서간의 관계도 긴밀해 지고, 제품과 제품이 혹은 서비스와 서비스가 서로 융합되고, 시스템과 시스템이 긴밀하게 연계 될 것이다.

또한, 그러한 과정에서 쏠림 현상이 나타나 선도 기업이 그 산업을 절대적으로 장악하는 현상도 나타날 것으로 판단된다. 따라서 유연한 조직문화를 기반으로 부서간의 긴밀한 협업이 가능할 수 있도록 하는 시스템을 마련하고, 혁신적인 아이디어가 조직 전반에 쉽게 공유될 수 있도록 해야 한다.

마) 신성장 동력산업으로의 진출 모색

초연결사회로 진입함에 따라 나타날 각 산업의 변화와 이런 변화를 이끌 주요한 기술 영역들은 곧바로 신성장 동력산업이 될 것이다. 따라서 기존 산업에서는 초연결사회의 주요 기반기술들을 보유한 스타트업을 육성하거나, 적극적인 M&A를 통해 주요 산업으로의 진출을 모색할 필요가 있다.

특히, 국내 주력산업들이 글로벌 과잉공급으로 위협을 받고, 신흥국들에 의해서 추격당하고 있는 시점에서 미래 먹거리를 모색할 필요성이 증대되고 있기 때문에, 현 산업에서 더 잘하고자 하는 노력 보다 더 잘할 수 있는 다른 산업으로의 진입을 적극적으로 고민해 볼 시점이라고 할 수 있다.

4) 초연결시대와 블록체인[6]

4차 산업혁명은 사물인터넷, 빅데이터, 클라우드 그리고 모바일에 의해서 발생했다고 볼 수 있다. 4차 산업혁명과 함께 자주 등장하는 단어가 바로 ICBM 플랫폼이라고 할 수 있다. ICBM(IoT, Cloud, BigData, Mobile) 플랫폼 4차 산업혁명의 중심기술인 사물인터넷, 빅데이터, 클라우드, 모바일을 통합하여 칭하는 용어로, 사물인터넷에서 수집한 정보를 클라우드에 모으고, 이를 빅데이터로 분석한 후, 모바일로 서비스를 제공한다.

그러나 ICBM 플랫폼은 한계점을 가지고 있어, 4차 산업혁명에서 낮은 보안성, 사생활 침해, 정보독점, 높은 운영비용과 같은 문제점을 야기한다.

이러한 심각한 문제점을 해결하기 위해 대두되는 것이 바로 블록체인이라고 할 수 있다. 블록체인이 ICBM에 비해 우월한 기술은 아니지만, 서로 상반되는 기술로 ICBM에서 부족한 기술들을 블록체인이 가지고 있기 때문에 블록체인을 이용하여 ICBM의 문제점을 해결할 수 있을 것으로 보인다.

기존 문제점 (ICBM)	해결방안 (Block Chain)
낮은 보안성	• 분산형 원장 기술로 해킹에 대해서 참여자끼리 서로 보완 • (비트코인) 공개키 암호화로 중간자 공격 방지
사생활 침해	• 공개키와 개인키로 본인만으로 증명하기 때문에 사생활 침해 이슈 없음
정보독점	• 모든 정보는 중앙 관리자 없이 익명으로 공유되어, 정보 독점 현상이 나타나기 어려움
높은 운영비율	• 중앙 센터가 없어 센터에서 부담해야 할 운영 비용 발생하지 않음

[표 2] ICBM의 한계점과 블록체인을 통한 해결방안

6) 블록체인이 가져올 변화와 한계 (물류/유통산업을 중심으로), 박찬석, 우정경영연구센터, 2018

나. 블록체인

1) 블록체인의 역사[7)]

초창기 블록체인 기술에 대한 아이디어는 1991년 초,과학자 스튜어트 하버(Stuart Haber)와 스캇 스토네타(W. Scott Stornetta)에 의해 제시되었다. 이들은 실용적인 수학적 해결책을 타임 스탬핑에 도입해 디지털 문서의 날짜가 변경되거나 위조될 수 없게 했다.

이때, 이들은 타임스탬프를 저장하는데 암호학적으로 안전한 블록들의 체인을 사용했으며, 1992년 머클 트리 구조를 도입한 후 여러 문서를 하나의 블록에 모을 수 있게 되며 보다 효율적으로 발전시켰다. 그러나 이 기술은 머지않아 사용되지 않기 시작했으며, 비트코인이 탄생하기 4년 전인 2004년에는 특허권이 만료되었다.

이후, 2004년 컴퓨터 공학자이자 암호학 활동가 할 핀니(Hal Finney)는 재사용 가능한 작업 증명 방식(RPoW:Reusable Proof of Work) 시스템을 제시했다. 이 시스템은 교환이 불가능하거나 대체할 수 없는 해시캐시(Hashcash)를 작업 증명 방식 토큰에 기반해 수신한 뒤, RSA 서명(RSA-signed)이 된 재사용 가능한 토큰으로 반환했으며, RSA 서명이 된 토큰은 개인 간에 전송될 수 있었다.

재사용 가능한 작업 증명 방식은 전 세계의 유저들이 정확도와 무결성을 실시간으로 확인할 수 있도록 설계된 신뢰할 수 있는 서버에 토큰의 소유권을 기록함으로써 이중 지불의 문제를 해결했다. 즉, 재사용 가능한 작업 증명 방식은 암호 화폐 역사의 프로토타입이자 중요한 초기 단계였다고 할 수 있다.

드디어, 2008년 말, 사토시 나카모토라는 익명의 개인 혹은 그룹에 의해 비트코인이라 불리는 탈중앙화된 개인 간 전자 지불 시스템에 관한 백서가 암호학 메일링 리스트에 전송되었다.

비트코인은 해시캐시 작업 증명 방식 알고리즘에 기반을 두고 있으나, 재사용 가능한 작업 증명 방식과 같이 신뢰할 수 있는 컴퓨팅 기능의 하드웨어를 사용하지 않고, 트랜잭션을 추적하고 검증하는 탈중앙화된 개인 간 네트워크 프로토콜을 통해 이중 지불 문제를 해결했다. 간단히 말해, 비트코인은 작업 증명 방식 매커니즘을 통해 개인 마이너들의 보상으로 마이닝되며, 이후 탈중앙화 화된 네트워크 노드에 의해 검증된다.

이때, 블록체인이 등장하게 된다. 블록체인은 바로 이 비트코인의 기반이 되는 기술

7) 블록체인의 역사, binance.vision, 2018.12.06

이다.

2) 블록체인의 기본 원리[8)]

블록체인(Blockchain)은 이름 그대로 블록(Block)들을 사슬(Chain) 형태로 엮은 것을 의미한다. 이때 블록은 개인과 개인의 거래(P2P)의 데이터가 기록되는 장부(Database)가 되는 것이며, 이런 블록들은 형성된 후 시간의 흐름에 따라 순차적으로 연결된 사슬 구조를 가지게 된다. 즉, 거래명세를 담은 블록들이 사슬로 이어져 하나의 장부를 이루는 것이다.

이때 모든 거래 장부를 네트워크 참여자들에게 공개, 분산하여 관리하기 때문에 '공공 거래장부' 또는 '분산 거래장부'로 불린다. 따라서 한번 연결된 블록의 거래기록은 수정 불가능하게 되고, 이러한 일련의 과정이 반복을 거쳐 블록체인 형성이 계속되게 되며, 이러한 블록들이 형성하는 사슬구조는 사실상 거래장부의 위·변조를 불가능하게 만드는데 그 원리는 다음과 같다.

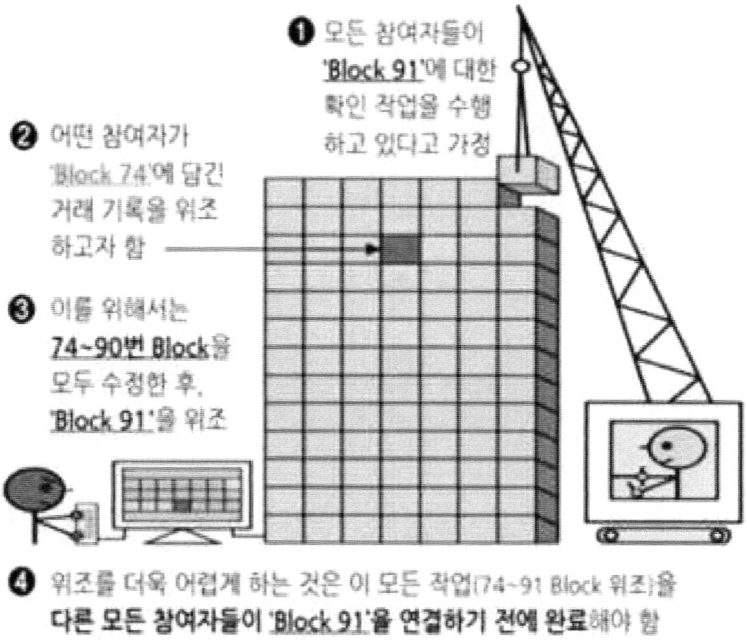

9)

[그림 7] 블록체인 거래의 흐름과 연결성

이러한 기능은 블록체인이 작동하는 원리에 기반을 두어 이루어진다. 지금부터는 블록체인이 작동하는 원리에 대해서 살펴보도록 하자.

---

8) 블록체인이 가져올 변화와 한계 (물류/유통산업을 중심으로), 박찬석, 우정경영연구센터, 2018
9) IEEE Spectrum, 2015.07

3) 비트코인의 작동원리와 블록체인[10]

블록체인의 작동원리를 쉽게 이해하기 위해 비트코인의 작동원리를 통해 살펴보도록 하자.

가) 채굴(Mining)

비트코인은 사용자들에 의해 직접 발행이 되는데 이를 통상적으로 채굴이라고 부른다. 이를 기술적으로는 끊임없는 해싱 작업을 통한 '목표값(target value)' 이상의 해시(hash)값 찾기(작업증명, POW:Proof of Work[11])로 정의할 수 있다.

채굴에 참여하는 모든 사용자가 목표값을 찾기 위한 경쟁을 벌이며, 특정한 사용자가 목표값에 해당하는 해시값을 찾는데 성공하면, '블록'을 발행하게 된다. 이들은 블록을 발행하고 이를 네트워크에 전파하면서 동시에 블록발행보상인 '비트코인'과 해당 블록 안에 포함된 '이체 수수료'를 받게 된다. 즉, '비트코인 지급'이라는 경제적 보상이 채굴자들이 해싱작업에 참여하는 동기가 되는 것이다.

채굴은 근본적으로 끊임없는 해싱작업이며, 많은 컴퓨팅 파워를 가지고 있을수록 빠른 속도의 해싱이 가능하다. 즉, 컴퓨팅 파워를 많이 투입할수록 다른 경쟁자들보다 비트코인을 많이 받게 되는 구조이다. 블록 발행 확률(목표값 경쟁 승리확률)과 네트워크상에서 자신이 차지하는 컴퓨팅파워 비율은 정확히 비례하며, 만일 누군가가 전체 투입 컴퓨팅 파워 중 30%를 점유하고 있다면, 수학적으로 블록 생성 확률도 정확히 30%에 수렴한다.

여기에서 우리가 주목할 것은 블록발행보상인 비트코인이 아닌, 바로 그 블록 자체라고 할 수 있다.

블록은 위에서 설명된 채굴행위를 통해 매 10분을 주기로 발행된다. 블록은 일종의 데이터 패킷으로 몇 가지 정보를 담고 있다. 가장 중요한 것으로 참여자들이 화폐를 거래한 '거래내역', 그리고 이전 블록의 해시값, 난이도, 논스(nonce) 등이 포함된다.

---

10) 블록체인 기술의 발전과정과 이해, 피넥터보고서, 2016

11) POW로 통칭하는 '작업증명'은 기본적으로 특정한 난이도의 작업을 수행했음을 증명하는 기법이며, 해당 작업의 어려움은 난이도에 맞게 설정되어 있어야 하지만 그 작업이 완료되었음을 확인하는 것은 쉬 워야 한다. 여러 가지 방법이 작업증명에 사용될 수 있는데, 비트코인의 경우 위에 언급된 'Hashcash' 방식을 통해 작업증명을 한다.

매 블록은 바로 전 블록의 해시 값을 담고 있으며, 이렇게 이어진 블록들은 시간 순으로 발생한 이체내역들을 담고 있는 하나의 '블록체인(blockchain)'을 이룬다. 각 블록은 최대 1MB의 크기까지 확장될 수 있으며, 헤더 80바이트, 기타 17바이트 등을 제외하고 총 1,048,479바이트 가량이 이체내역 저장을 위해 사용될 수 있다.

(1) 블록의 구조

블록의 구조에 대해서 조금 더 자세히 살펴보도록 하자. 블록은 크게 블록크기, 블록헤더, 트랜잭션데이터로 구성되어있다.

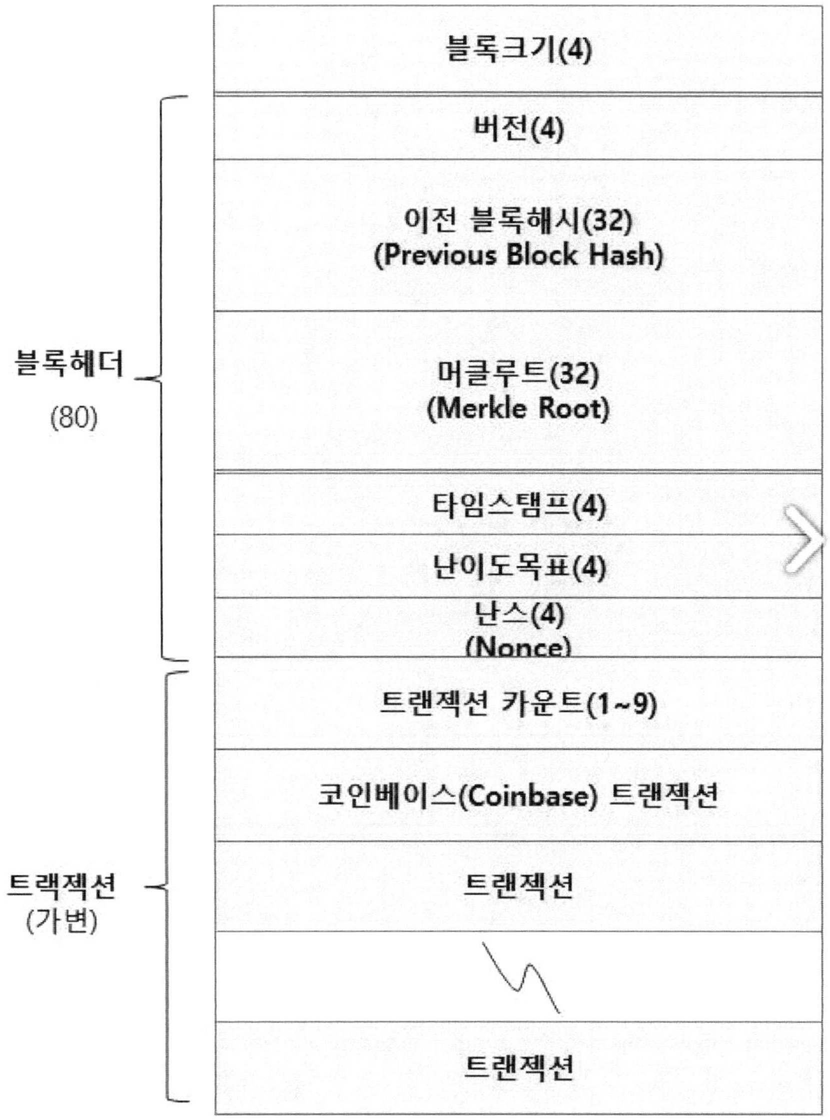

[그림 8] 블록의 구조

(가) 블록 크기

블록체인에서 블록이란, 정보를 담을 수 있는 용량으로, 비트코인 초기 블록은 거래 데이터 36MB를 가질 수 있었지만, 2010년 스팸이나 잠재적인 디도스 공격에 대비해 1MB로 줄었다. 이 제한은 비트코인 블록이 대량으로 증가하고 거래도 급증한 지금도 계속되고 있다. 트렌드블록(TrendBlock)에 따르면 2013년 이후 평균 블록 크기는 125KB에서 425KB로, 거래량은 일 2.5배 증가했다. 하루 평균 4번은 이 블록 크기 한계에 도달하고 있다.

(나) 블록헤더

블록체인에서 블록헤더는 버전, 이전 블록해시, 머클루트, 타임스탬프, 난이도목표, 난스를 가지고 있다. 각 부분에 대해 살펴보도록 하자.

① 버전

버전은 데이터구조의 버전으로, 데이터 구조를 변경할 때 사용된다.

② 이전 블록해시

블록체인은 블록과 블록이 연결되어있는 구조다. 따라서 각 블록헤더에는 이전블록(부모블록)에 대한 해시 참조 값을 가지고 있다. 이렇게 이전 블록에 대한 해시를 참조함으로써 각 블록이 강하게 연결되고 중간에 블록이 훼손되기 어렵게 만들어져 있다.

③ 머클루트(Merkle Root)

해당 블록에 포함된 거래로부터 생성된 머클 트리의 루트에 대한 해시이며, 블록에 들어있는 모든 거래의 요약본이라 할 수 있다. 이를 통해 비교적 큰 데이터 집합을 효율적으로 요약하고 검증할 수 있다.

④ 타임스탬프

블록의 생성시간으로, 1970.1.1. 이후 초단위로 작성된다.

⑤ 난이도 목표

블록의 생성 주기는 네트워크 전파 속도 및 보안성 등을 이유로 사토시에 의해 '10분'으로 채택되었다. 그러나 블록 생성은 곧 특정한 목표값을 해싱 작업으로 찾아내는 것인데 그렇다면 해싱작업 속도만 빠르다면 10분이 아니라 1분 안에도 목표 값을 찾아낼 수 있을 것이다. 즉, 충분한 컴퓨팅 파워만 있다면 1초안에도 블록을 생성하는 것이 가능하다는 것이다.

이것을 막기 위해 도입된 것이 '난이도'의 개념이다. 비트코인이 채택한 작업증명(POW: Proof of Work) 방식은 'Hashcash'10 방식이다. Hashcash 방식의 요소는 네 가지로, '목표', '작업방식', '난이도 조정방법', '난이도 조정시점'이다.

'목표'는 2016개의 블록을 생성하는데에 2주(2016블록*10분=2주)가 소요 돼야 한다는 것이며, '작업방식'은 해싱을 통한 목표값 찾기, 그리고 '난이도 조정방법'은 목표치를 초과/미달하는 부분만큼 '목표값(target value)'11의 난이도가 변경되는 것이다. 이 난이도 조정은 매 2016번째 블록마다 이루어진다.

만일 2016개의 블록을 생성하는데 2주가 아닌 1주일이 걸렸다면, 목표에 도달키 위한 필요 작업의 50%만 이루어진 것이므로, 목표에 도달치 못한 것이다. 따라서 난이도를 2배로 증가시켜서, 기존 1주일의 두 배인 2주가 걸리게 조정하고 목표를 충족시킨다.

⑥ 난스(Nonce)

작업증명 알고리즘에 사용되는 카운터로 값을 바꿔주는 역할을 한다.

(다) 트랜잭션데이터

① 트랜잭션 카운트

트랜잭션 카운트는 포함한 거래 개수를 나타낸다.

② 코인베이스 트랜잭션

코인베이스 트랜잭션은 블록 생성 시 발생되는 비트코인이며, 본 블록을 마이닝한 마이너의 수입이다.

③ 트랜잭션

10분 동안 수집한 거래정보를 나타낸다.

(2) 블록기반의 블록체인 구조

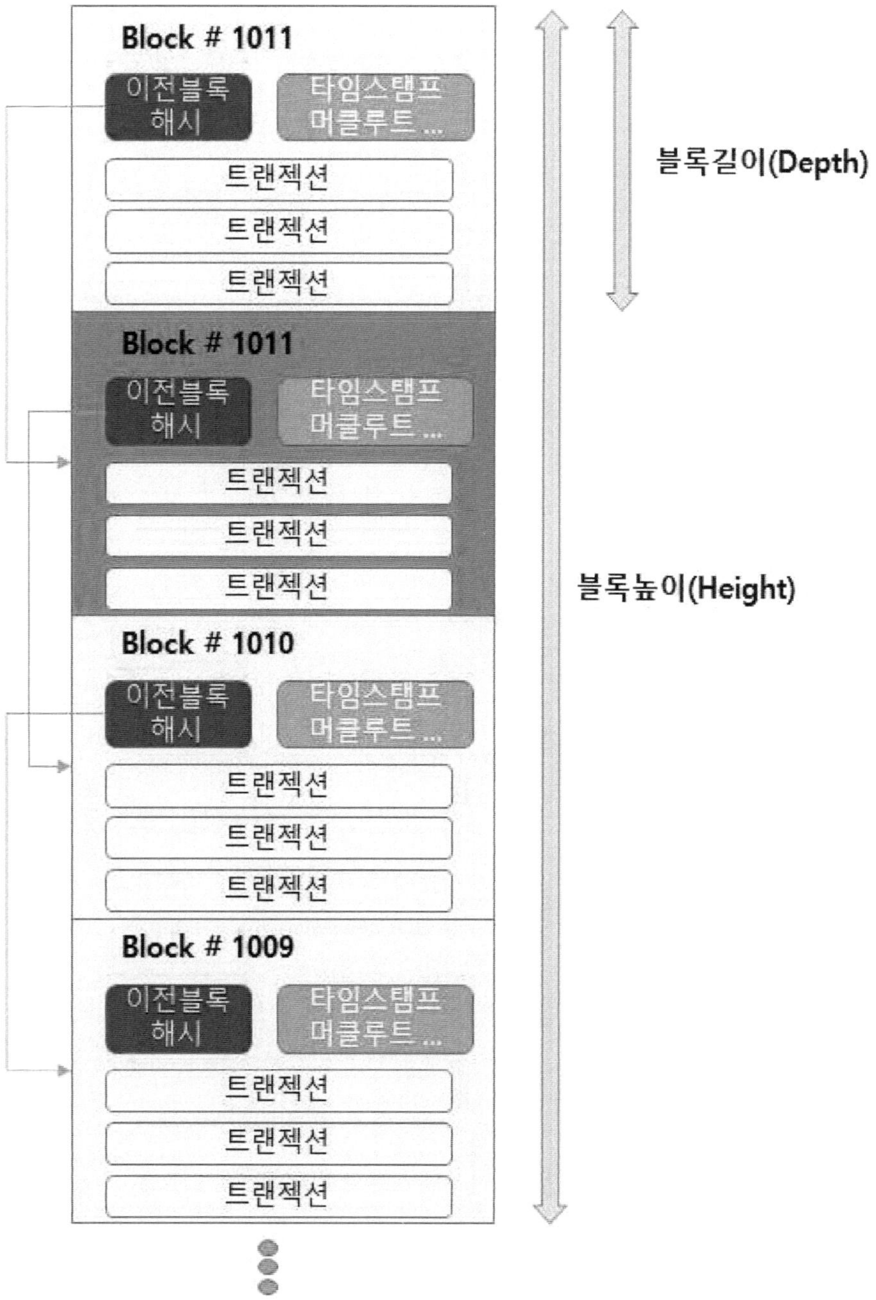

[그림 9] 블록체인 구조

블록체인에서는 거래내용을 위에서 살펴본 구조를 가진 블록에 기록하고 블록들을 주기적으로 생성하며, 생성된 새로운 블록에 이전 생성된 모든 블록들의 정보를 담은 해시값을 기록한다. 이로써, 블록에 기록된 거래 내용을 해킹하여 위조 또는 변조하기 매우 어렵게 만든 것이 바로 블록체인의 핵심이라고 할 수 있다.

블록체인은 이전 블록의 해시를 참조하여 연결되기 때문에 중간에 데이터가 변경되거나 위조되기가 어렵다. 즉, 각 블록이 해시값으로 연결되어 있기 때문에 만약 중간의 값을 변경하려면 그 위에 있는 모든 데이터를 함께 변경해야 하기 때문에 위조, 변조가 어렵다.

① 블록높이

블록높이는 현재 블록 중 가장 최신 블록을 뜻한다. 블록체인의 각 노드들은 블록체인을 서로 공유하는데, 이 때 블록높이만 봐도 내가 최신인지 남이 최신인지 알 수 있다.

② 블록깊이

위의 그림에서 1011번째 블록을 기준으로 본다면, 블록 깊이는 1011번째 블록 위에 몇 개의 블록이 있는지를 나타낸다. 즉, 위에 블록이 쌓일 때마다 자신의 블록도 함께 승인이 된다. 만약 내용을 변경하고자 할 경우 위의 블록까지 함께 변경해야 하기 때문에 보통 거래가 발생되어 블록에 저장되면, 6번의 승인이 이루어져야 취소가 가능하다. 또한, 체인이 길어질수록 수학적 계산의 양이 급격하게 늘어나기 때문에 결국 이를 변경하는 것은 불가능하다고 할 수 있다.

블록체인은 각 블록들이 이전 블록들과 연결되어 있는데, 1번 블록은 연결할 이전 블록이 없다. 따라서 1번 블록은 이전 블록없이 시작하게 되는 태초의 블록이라 하여 제네시스 블록(Genesis block)이라 부른다. 모든 블록체인 시스템은 이 제네시스 블록에서 시작하며, 이후 완성되는 블록들을 이어 붙이는 방식이다. 비트코인의 제네시스 블록에는 1개의 거래가 있고, 이 거래는 비트코인 창시자인 사토시 나카모토에게 최초로 발행된 50비트코인을 지급하는 것으로 되어 있다.

나) 이체 확인(Confirmation)

이용자가 이체를 하면 이를 채굴자가 자신의 블록에 넣어서 발행하게 되는데, 이 순간 해당 이체내역의 '이체확인(confirmation)'은 1이 된다. 그리고 해당 블록의 해시를 이용한 다음의 블록이 발행되면, 해당 이체내역의 이체 확인은 2가 되는 식이다.

비트코인 프로그램은 각 이체가 총 6번(60분)의 이체확인을 받아야 재이체(사용)가 가능하도록 설계되어 있는데, 이것을 일반적인 결제과정에 그대로 도입하는 것은 불가능할 것이다. 따라서 각 사업자는 자신이 리스크를 지고 필요에 따라 1~2이체확인 또는 단순히 TxID를 통한 이체신청내역 사실 확인만으로도 이체 확인을 해주는 '제로 컨펌(zero-confirmation)'까지 다양하게 조정하여 사용하고 있다.

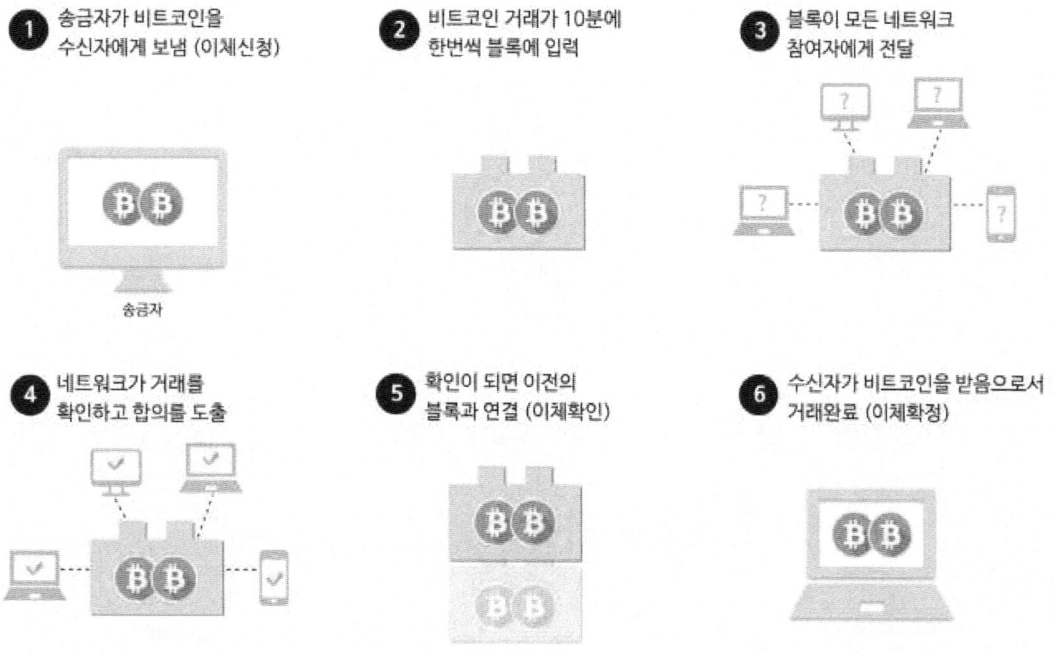

[그림 10] 비트코인 거래

12)

---

12) 블록체인 기술의 발전과정과 이해, 피넥터보고서, 2016

다) 이체 발생 과정(Transaction Process)

이체가 발생하고 확정되어 가는 과정을 다음과 같이 정리할 수 있다.

1) 한 이용자가 개인키를 사용하여 이체 거래 A를 신청한다.
2) 이체 거래 A에 해당하는 해시값이 발행된다. (TxID) - 이를 통해 이체내역은 즉시 확인할 수 있다.
3) 이체 거래 A 내역을 채굴자가 자신의 이체 풀에 넣어 보관한다.
4) 채굴자가 목표값 해싱에 성공하여 블록 생성 권한을 얻게 되면 새 블록에 이체신청내역을 '우선순위'부터 차례로 담아 발행한다. 우선순위 안에 들지 못하는 거래 건은 영원히 확인받지 못하는 경우도 생긴다.
5) 이체 거래 A 내역을 담은 블록이 네트워크에 전파된다.
6) 이체 거래 A가 1회 확인 받는다.
7) 네트워크를 통해 해당 블록을 전파(다운)받은 다음의 채굴자가 블록 생성 권한을 얻고 다음 블록을 생성하게 된다.
8) 이체 거래 A를 담은 블록의 '다음 블록'이 네트워크에 전파된다.
9) 이체 거래 A가 2회 확인 받는다.
10) 위의 과정이 끝없이 반복된다.

위의 과정은 이체신청과 이체 확인의 과정을 설명하고 있으며, 누군가 A주소의 비트코인을 B주소로 이체하기 위해 이체 거래를 신청하고 자신의 '개인키(private key)'로 서명해 네트워크에 전파하면 '이체 신청(Transaction)'이 끝난다. 이를 채굴자가 전파받아 자신이 발행하는 블록에 산입하여 넣고 이를 전파하면 '이체 확인(Confirmation)'이 된다. 마지막으로 비트코인을 이체 받는 주체가 이체내역을 승인하면 그것이 '이체 확정(Settlement)'이 된다.

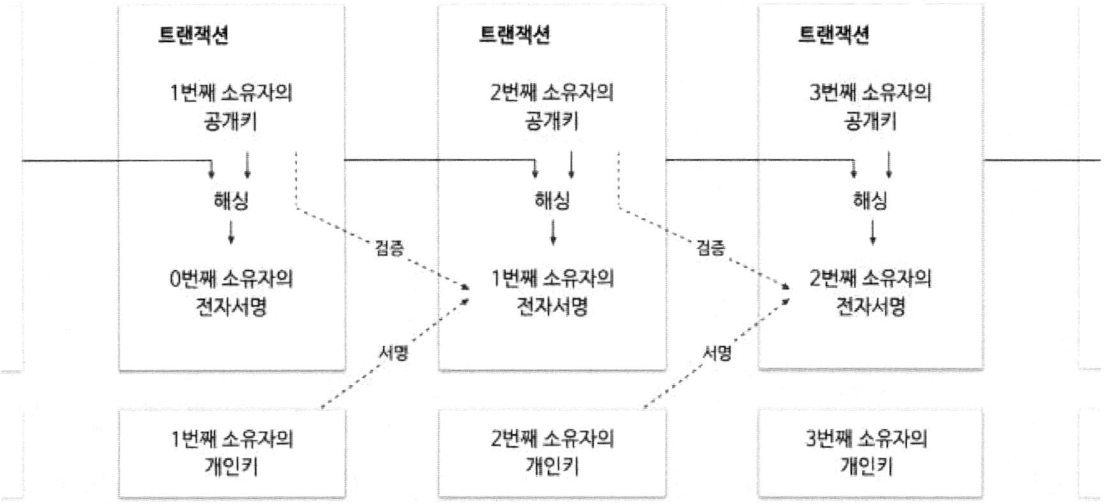

[그림 11] 이체확정 과정

13)

13) 블록체인 기술의 발전과정과 이해, 피넥터보고서, 2016

4) 블록체인의 종류

블록체인의 종류는 그 성격에 따라 크게 퍼블릭 블록체인(Public Blockchain), 프라이빗 블록체인(Private Blockchain), 컨소시움 블록체인(Consortium Blockchain)으로 나눌 수 있다.

가) 퍼블릭 블록체인(Public Blockchain)

퍼블릭 블록체인(Public Blockchain)은 이름 그대로 누구나 쉽게 네트워크에 참여할 수 있는 블록체인으로 대표적으로 비트코인(Bitcoin)이나 이더리움(Ethereum)을 예로 들 수 있다.

퍼블릭 블록체인은 누구나 참여할 수 있고, 누구나 운영할 수 있어 운영주체가 광범위하다. 이러한 특성 때문에 법적 구속력에 상대적으로 자유로운 편이다. 그리고 누구나 데이터를 읽을 수 있어 투명성 또한 더 크게 보장된다. 하지만 모든 노드들이 참여 하기 때문에 각 트랜잭션의 내용은 모두에게 공개되며, 검증 또한 모든 노드들이 참여하기 때문에 성능이 저하 될 수 있다.

퍼블릭 블록체인에서 성능저하가 발생하는 이유는 악의적인 의도를 가진 해커들도 손쉽게 참여할 수 있기 때문에 이러한 상황을 방지하기 위한 연산 또는 추가적 수행이 필요하기 때문이다. 또한 퍼블릭 블록체인은 블록체인의 엔진 수정이 어렵다. 참여하고 있는 많은 사람들의 동의를 얻어서 겨우겨우 수정할 수 있지만 그 과정이 오래 걸리거나 복잡할 수 있다. 또한 심각한 경우 하드포킹(Hard-fork)[14]등의 문제가 발생해서 해당 네트워크가 분기되는 상황이 발생할 수 있다.

나) 프라이빗 블록체인(Private Blockchain)

프라이빗 블록체인(Private Blockchain)은 하나의 기관에서 독자적으로 블록체인을 운영하는 것이다.

프라이빗 블록체인은 퍼블릭 블록체인과 정반대로 운영주체가 명확하기 때문에 법적인 규제를 준수해야 한다. 하지만 노드 간 권한을 다르게 설정할 수 있고, 허가받은 대상들만 노드로 참여할 수 있기 때문에 퍼블릭 블록체인에 비해 상대적으로 적은 노드수를 운영하게 되며 이는 성능 향상으로 이어지게 할 수 있다.

---

14) 하드 포크(Hard-fork) : 기존 블록체인과 호환되지 않는 새로운 블록체인에서 다른 종류의 가상화폐를 만드는 것을 말한다. 기존 블록체인의 기능개선, 오류정정, 문제점 수정 등을 목적으로 블록체인을 기존의 블록체인과는 호환이 되지 않는 새로운 방식으로 변경한다. [네이버 지식백과]

또한 블록체인 엔진을 수정하는데 드는 비용도 상대적으로 저렴하고, 블록체인에 참여한 각 노드들의 권한들도 다르게 설정할 수 있기 때문에 운영상의 자유로도 보장이 되는 등 여러 가지 장점이 있다. 컨소시움 블록체인(Consortium Blockchain)은 여러 기관들이 컨소시움을 이루어서 블록체인을 같이 운영하는 것을 말한다.

요소	퍼블릭 블록체인	프라이빗 블록체인	컨소시엄 블록체인
관리주체	모든 거래 참여자(탈중앙화)	한 중앙기관이 모든 권한 보유	컨소시엄에 소속된 참여자
거버넌스	한번 정해진 법칙을 바꾸기 매우 어려움	중앙기관의 의사결정에 따라 용이하게 법칙을 바꿀 수 있음	컨소시엄 참여자들의 합의에 따라 상대적으로 용이하게 법칙을 바꿀 수 있음
거래속도	네트워크 확장이 어렵고 거래 속도가 느림	네트워크 확장이 매우 쉽고 거래 속도가 빠름	네트워크 확장이 쉽고 거래 속도가 빠름
데이터 접근	누구나 접근 가능	허가받은 사용자만 접근가능	허가받은 사용자만 접근가능
식별성	익명성	식별 가능	식별 가능
거래증명	검증 알고리즘에 따라 거래 증명자가 결정되며 거래 증명자가 누구인지 사전에 알 수 없음	중앙기관에 의하여 거래증명이 이루어짐	거래 증명자가 인증을 거쳐 알려진 상태이며, 사전 합의된 규칙에 따라 거래검증 및 블록 생성이 이루어짐
활용사례	Bitcoin, Ripple, Litecoin, Open, Bazaar, DASH Ethereum 등	NASDAQ, Overstock Chain 등	R3 CEV, HSBC, Citi, Barclays,Goldman Sachs, BoA 등

[표 3] 블록체인 유형별 주요 특징

15)

15) [출처] 금융보안원, 유진투자증권

	퍼블릭 블록체인	프라이빗(컨소시움) 블록체인
거래기록 열람 (Read-access)	누구나 익명으로 이체잔고와 거래기록을 열람	거래당사자와 규제기관만 열람
거래 참여 (Write-access)	누구나 쉽게 사용자 인증과정 없이 계좌를 개설하고 거래에 참여	법적책임을 지는 승인된 기관만 참여
거래 검증/승인 (Transaction validation)	누구나 컴퓨터를 통해 거래 검증에 참여	법적 책임을 지는 승인된 기관과 규제기관이 검증
거래 기록 보관 (Transaction storage)	누구나 전체 거래내역 보관 가능	거래 당사자끼리 같은 거래 내역을 보관
합의 도출 (Network consensus)	작업증명(Proof-of-work;채굴) 또는 지분증명(Proof-of-Stake)	BFT계열 알고리즘을 통해 합의 도출
자체 암호화폐 (Native currency)	필요	불필요
결제의 완결성 보장 (Settlement finality)	네트워크 분기(Fork) 또는 블록재조정(Block reorg)으로 인해 완결된 결제가 왜곡될 수 있음(Probablistic settlement)	결제의 완결성 보장 (Definitive settlement)
확장가능성 (Scalability)	제한적 확장	금융 후선업무에 적합한 확장성
예시	비트코인, 대시, 이더리움	R3CEV, DAH, Clearmatics

[표 4] 퍼블릭 블록체인과 프라이빗 블록체인 비교

III. 블록체인 물류

3. 블록체인 물류

가. 블록체인 도입으로 인한 효과

앞서 살펴보았듯이, 블록체인의 가장 큰 장점으로는 거래정보의 위·변조가 어렵다는 것이다. 이러한 블록체인의 특징은 물류산업에서 크게 활용될 수 있다. 블록체인 네트워크에 참여하는 이해 관계자들은 모두 원본 데이터를 가지고 있기 때문에, 무역거래를 함에 발생하는 계약서나 선하증권 원본이 이동하면서 드는 시간과 비용을 절감할 수 있다.

또한, 현재 해운 거래는 중개인(브로커, 포워더)의 신용 검증을 통해 거래가 이루어졌으나 블록체인 기반으로 거래당사자에 대한 신뢰성과 함께 편의성까지 제공된다면 화주의 기반이 확장 될 수 있다.

이미 프레이토스(Freightos)와 같은 기업들은 일반 이용자에게 실시간으로 화물 운송료 비교·견적 서비스를 제공하여 시장의 저변을 넓혔으며 최종적으로 블록체인 기반의 시스템은 시장 참여자의 신뢰성을 한 단계 확장시킬 수 있을 것으로 전망된다.

블록체인을 도입함으로써 물류에서 발생할 수 있는 효과는 크게 빠른 배송, 공급망 투명성, 물류 커머셜 프로세스 자동화로 나눠 볼 수 있다.

[그림 12] 블록체인 도입으로 인한 물류분야 효과

1) 비용절감과 빠른 배송

현재의 시스템으로 동아프리카에서 유럽 간 해상 무역을 통해 물품을 수송할 경우 30명의 서로 다른 개인 또는 기관이 200번 이상 거래에 참여하여 이에 따른 시간과 비용이 수반된다. 실제로 상품 출하를 위한 문서 처리하는데 10일이 소요되었으며 농장에서 소비자까지 가는데 약 34일이 소요되고 있다.

이에 블록체인을 사용하는 경우 스마트계약을 통해 획기적으로 단순화·자동화되면 소요시간이 단축되고 비용 또한 감소하게 된다.

World Economic Forum에 따르면 블록체인 기술이 적용되어 이러한 비효율성이 사라질 경우 세계 GDP가 4.7%(약 2.6조 달러) 증가하고, 세계무역이 14.5%(약 1.6조 달러) 증가하는 효과가 있을 것으로 전망된다. 이는 관세장벽 제거 효과(세계 GDP의 0.7%, 세계 무역의 10.1% 증가)보다 높은 것으로 분석되고 있다.

현재까지의 선사는 전체 물류에서 해상운송만을 담당하는 운송시스템의 일부이지만 화물 예약부터 운송까지 직접 통제할 수 있고 화주에게 신뢰성이 높은 플랫폼을 제공할 경우 선화주 직거래가 가능질 수 있다.

이 경우 선사는 모드(mode) 운영자에서 배송을 총괄하는 플랫폼 통합자(platform integrator)가 될 수 있다. 따라서 블록체인을 기반으로 하는 온라인 플랫폼은 선화주 직거래를 가능하게 하여 NVOCC에서 선사로 물류 주도권을 이동시킬 수 있다.

프레이토스(Freightos), 45HC, iContainers 등은 현재 직접 선적 예약 등이 가능한 온라인 플랫폼을 운영 중이나 일반 운임에 비해 5~10% 이상 높으며 공급이 부족할 때는 선사들이 온라인 플랫폼에 배정된 물량을 축소하는 등 운영상에 문제점이 발생하고 있다.

여러 문제점들로 인해 현재 이러한 플랫폼을 이용하는 수요자는 소규모 사업자들로 전체 운송시장의 5% 미만(Alphaliner)으로 추정되나 선사가 주도하는 블록체인 시스템이 온라인 플랫폼과 결합될 때 시장 점유율은 크게 상승할 것으로 예상된다.

블록체인 물류 플랫폼에서는 관련 서류의 단순화, 전자화로 화주가 중개인을 거치지 않고 실시간 운임조회 및 예약이 가능해질 것으로 전망되며 다수의 선사가 참여할 경우 컨테이너 공급 불안정 문제도 사라질 가능성이 높다.

특히 국내에서도 2017년 5월 해운·물류 블록체인 컨소시움을 결성하고 운영하고 있다. 본 컨소시움에는 선사와 항만 운영사 외에도 금융, 세관 등 총 38개 기관이 참여하였으며 2017년 하반기에 부산-칭다오 구간에 냉동컨테이너 화물과 태국, 중동 향 일반 컨테이너를 대상으로 기술 검증(Proof of Concept, POC) 시범운항을 실시했다.

시범운항에서는 선적 예약부터 화물 인도까지 물류 과정 전반에 걸쳐 블록체인 기술이 적용되었으며 화주-선사-세관-금융에 이르는 물류 관련자들에게 원본의 선적 서류가 전달되어 서류 위/변조를 차단하였으며 문서 발급 절차가 간소화 되었다.

[그림 12] 국내 해운·물류 블록체인 참여기관

2) 공급망 투명성[16)]

공급망은 초기 공급업체부터 최종 고객에 이르기까지 특정한 상품과 서비스를 생산하고 배포하는 것과 관련된 사람과 비즈니스의 네트워크라고 할 수 있다. 기본적인 공급망 시스템은 대개 식품이나 원자재 공급업체, 제조업체(처리 단계), 물류 회사, 그리고 소매업체를 포함한다.

현재, 공급망 관리 시스템은 효율성과 투명성이 떨어지며, 대부분의 네트워크는 당사자들을 모두 통합하려 할 때 어려움을 겪고 있다. 또한, 현재의 공급망 모델은 지속적이고 효율적인 공급망 시스템을 유지하기 어렵게 하며, 이는 회사의 수익성과 더불어 최종 소매가격에도 좋지 않은 영향을 미치고 있다.

따라서 최근 이러한 공급망의 문제점을 해결하기 위해 큰 관심을 받고 있는 것이 바로 블록체인이다. 블록체인 기술은 데이터 기록과 전송, 공유에 새로운 방법을 제공하므로, 이를 통해 일부 공급망의 가장 큰 문제들에 접근할 수 있다.

블록체인은 분산 화된 시스템으로 설계되었기 때문에, 수정하기가 상당히 어려워 공급망 네트워크에 아주 적합하다. 블록체인은 데이터 블록들의 연결로 구성되며, 이는 암호학적 기술을 통해 연결되어 전체 네트워크의 동의 없이는 저장된 데이터를 함부로 변경할 수 없게 하기 때문에 블록체인 시스템은 정보를 전달하는 안전하고 신뢰할 수 있는 구조를 제공한다.

블록체인 기술은 암호화폐 트랜잭션에 흔히 사용되지만, 모든 종류의 디지털 데이터를 저장하는데 무척 유용하며, 이를 공급망 네트워크에 적용하면 많은 이점이 있다.

가) 변경할 수 없는 기록

몇 개의 회사와 기관들이 함께 일한다고 가정해보자. 그들은 블록체인 시스템을 통해 자재와 상품의 위치와 소유권에 대한 데이터를 기록할 수 있으며, 공급망의 모든 구성원들은 자재가 한 회사에서 다른 회사로 이동함에 따라 어떤 일이 벌어지는지 살펴볼 수 있다.

결과적으로 블록체인을 사용하므로 데이터 기록이 변경될 수 없기 때문에, 만약 문제가 생길 경우 어떤 당사자가 책임을 져야 할지 분명히 알 수 있다는 이점이 있다.

---

16) 블록체인 활용 예시: 공급망, binance.vision, 2019.02.13

나) 비용 절감

비효율적인 공급망에서는 많은 낭비가 발생한다. 이러한 문제는 특별히 쉽게 부패하는 상품을 취급하는 업체들에서 발생하는데, 긴밀한 추적과 높은 데이터 투명성을 통해 낭비가 발생하는 영역을 식별하고, 해당 영역에 비용을 절감할 수 있는 방법을 도입할 수 있다.

블록체인은 또한 여러 은행 계좌와 결제 처리자 사이에 자금이 오갈 때 발생하는 수수료를 절감시킬 수 있다. 이러한 수수료는 이익을 감소시키기 때문에, 이를 절약하는 것은 무척 중요한 이점이라고 할 수 있다.

다) 상호 운용 가능한 데이터 생성

현 공급망의 가장 큰 문제 중 하나는 프로세스의 모든 파트너 간의 데이터를 통합할 수 없다는 것이다. 블록체인은 고유하고 공개적인 데이터 저장소를 유지하는 분산 시스템으로 구축되기 때문에, 네트워크의 각 노드(각 당사자)는 새 데이터를 추가하고 무결성을 검증하는 데 기여할 수 있다.

즉, 블록체인에 기록된 모든 정보에 모든 관련 당사자가 접근할 수 있게 되고, 한 회사가 다른 회사에 의해 전송되는 정보를 쉽게 검증할 수 있게 되는 것이다.

라) EDI의 대체

많은 기업들이 비즈니스 정보를 전송하기 위해 전자식 자료 교환(EDI, Electronic Date Interchange) 시스템에 의존하고 있다. 그러나 이 데이터는 실시간으로 처리되기 보다는, 흔히 한 묶음으로 전송된다. 만약 배송이 누락되거나 가격이 급변할 경우, 공급망의 다른 당사자들은 다음 EDI 묶음이 전송된 이후에야 정보를 받을 수 있게 된다.

하지만, 블록체인을 사용하면, 이러한 정보는 정기적으로 업데이트 되고, 모든 대상자에게 신속히 전달될 수 있다.

마) 디지털 협정 및 문서 공유

블록체인은 문서의 불변성을 보장하며, 모든 당사자가 합의에 도달할 경우에만 협정은 변경될 수 있다. 이러한 방식으로 조직은 자신들의 변호사와 함께 서류를 검토하거나, 협상하는 시간을 줄이고, 새로운 제품을 개발하거나 비즈니스 성장을 촉진시키기 위해 더 많은 시간을 할애할 수 있다.

3) 물류 커머셜 프로세스 자동화[17)]

수출입 과정에는 수출업자, 수입업자, 선주, 보험사, 금융사 등 다양한 기업과 중개 기관들이 다양한 역할을 수행하고 있다. 블록체인 기술은 수출입 프로세스상의 다양한 파트너들을 연결하고, 네트워크 내부의 모든 거래 기록을 변경 불가능한 형태로 공유할 수 있게 한다.

세계선사협의회(WSC)에 따르면 무역 관련 서류를 처리하는 최대 비용은 실제 해상 운송 비용의 5분의 1에 달한다. 수출업자와 수입업자간의 계약서, 선하증권(B/L, Bill of Lading), 신용장(L/C, Letter of Credit) 등 다양한 문서를 작성하고, 관련된 파트너들에게 정보를 전달하고 있다.

그러나 블록체인이 도입되면, 모든 정보가 컨소시엄 내에서 공유가 가능해지고, 스마트계약이 이루어 질 수 있게 되면서 디지털 무역 환경으로 변모하게 된다.

17) 블록체인과 물류/유통 혁신, 그리고 디지털 무역, 삼정 KPMG 경제 연구원, 2018.06

나. 블록체인과 해운물류[18]

세계 각지로 운송되는 상품의 90%는 해상으로 이루어지고 있으나, 전자화되지 않은 비효율적인 프로세스로 운송 정보를 관리하고 있다. 현재 한 번의 해상운송 진행시 30개에 해당하는 기관의 승인과정과 최대 200회의 의사소통 과정이 필요하며, 무역 관련 서류 처리비용은 해상운송 비용의 20%를 차지하고 있다.

해운물류에 있어 블록체인 기술을 적용하는 경우, 물류 거래 내역을 실시간으로 공유하고 확인할 수 있기 때문에 전체 물류 공급망에 걸쳐 선적과 운송정보를 확인할 수 있다. 즉, 블록체인에 참여하는 모든 사람이 선사, 터미널 운영사 등이 등록하는 선박의 접안 스케줄, 컨테이너 양·적하 계획, 반·출입 계획, 선박 입출항 신고 등과 같은 정보를 공유할 수 있다.

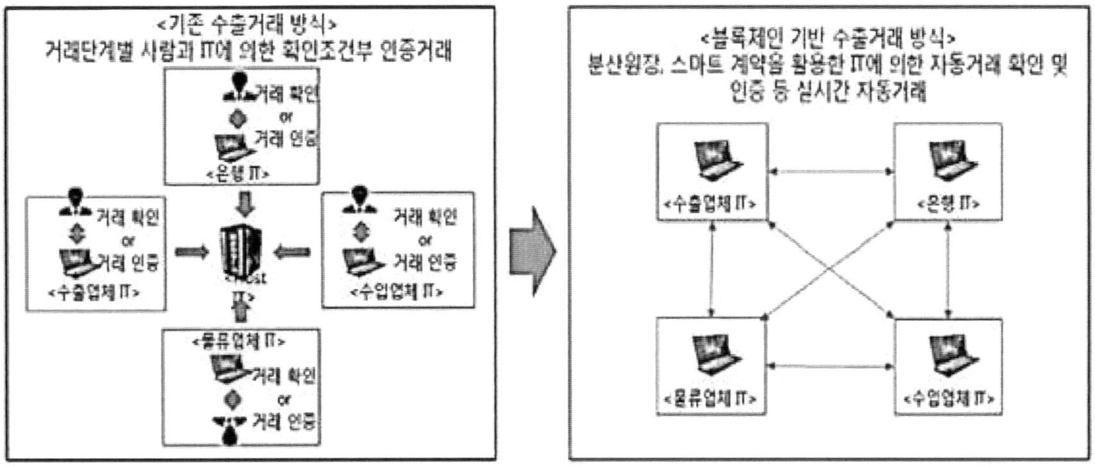

[19][그림 13] 기존 수출거래와 블록체인 기반 수출거래의 비교

해운물류에 블록체인을 적용함으로써 정보를 투명하고 안전하게 관리할 수 있으며, 기존 시스템에서 발생하는 지연과 각종 사기를 획기적으로 감소시킬 것으로 기대된다.

현재 글로벌 공급사슬이 복잡해지고, 범위가 확대됨에 따라 은행, 운송사, 포워더, 수출입업체 등 무역·물류 전반의 행위 주체에게 과도한 업무가 발생하고 있다. 따라서 세계 컨테이너 무역의 확대로 글로벌 차원의 가시성 확보는 오늘날 해운 등 국제 물류업계 경쟁력 향상의 최대 과제로 부상했다.

---

18) 블록체인을 이용한 해운물류 혁신, KOTRA 싱가포르무역관
19) 4차 산업혁명의 중소기업 수출 영향 및 정책방향, 산업연구원

특히 개도국의 비현대적 항만 및 터미널의 경우, 급격한 물동량 증가에 따라 집하 및 배송의 블랙홀로 항만 내 가시성 확보도 중요한 해결 이슈가 되었다.

[그림 14] 해상운송 및 무역 관련 행위 주체별 핵심 해결과제

기존 방식은 개별 시스템에서 전자정보를 접수받아 자기 시스템 체계로 변환해서 기존 데이터와 비교·검증해야 하며, 중개·인증·변환검증(재검증)등의 단계를 반복한다. 특히, 기존 방식에서는 매 단계마다 정보 중계자가 개입해야 한다는 문제점이 있다. 또한, 기존 방식은 2016년 한진해운 사태 즉 물류 대란 당시 정보 중계자의 기능이 단절됨에 따라 극심한 가시성 혼란에 빠지는 약점도 발견되었다.

이와 달리 블록체인 기술은 분산 원장에 모든 거래 내역을 공유함으로써 공급사슬상 특정 구간에 단절이 생겨도 가시성 확보에 치명적인 지장을 주지 않는다. 일부 전문가들은 최근 IBM-Walmart, IBM-머스크 사례를 통해 블록체인 기술이 실시간 화물 추적 및 관리 측면에서 이미 탁월한 효율성을 입증했다고 판단하고 있다.

그렇다면 도대체 가시성은 물류 측면에서 어떤 것을 말하는 것일까? 가시성은 물류 측면의 물리적 가시성과 계약내용 등 거래 이력 확인 등 두 측면을 포함하고 있다. 향후 물리적 가시성은 향후 사물인터넷(IoT) 기술과 결합할 경우, 시너지 효과를 발휘하며 크게 향상될 것으로 전망된다.

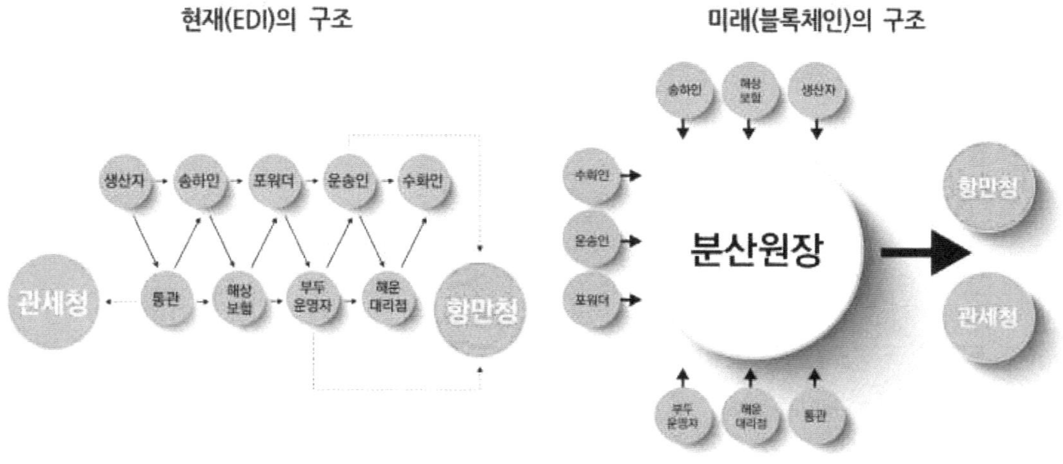

[그림 15] 전자정보교환(EDI) 시스템과 블록체인의 컨테이너 국제물류 가시성 확보구조

사물인터넷 기술을 활용하면 컨테이너에 위치발신 장치와 내부 온도·습도 센서를 부착해 화물의 위치와 화물의 이상 유무상태를 실시간으로 모니터링 할 수 있기 때문에 문제가 생겼을 때 즉각 대응을 할 수 있다.

실제로, 와인 SCM에 IoT와 블록체인이 결합된 사례가 있다. 와인은 대개 소유주가 셀러에게 비용을 지불하고 보관 및 관리를 맡기는데, 이 과정에서 라벨이 바뀌거나, 온습도 관리가 제대로 이뤄지지 않는 등 다양한 문제점이 발생한다.

이런 문제점을 개선하기 위해 IoT 디바이스를 연동해 와인박스에 센서를 부착하고, 여기서 발생하는 데이터는 블록체인을 통해 모든 참여자들에게 투명하게 공개돼 시장의 고질적인 병폐를 개선했다.

다음으로, 블록체인이 무역에 사용됨으로써, 무역금융이 변화할 것으로 전망된다. 블록체인을 통해 당사자들이 연결되기 때문에, 무역금융 프로세스가 간소해지면서 과거 기존의 신용정보에 대한 접근이 어려웠던 50% 이상의 중소기업들은 투명성과 확장성을 갖춘 블록체인을 통해 새로운 파트너와 거래를 쉽게 만들 것으로 예상된다.

컨테이너 해운·물류 부문의 가치사슬은 생산자에서 최종 소비자에 이르기까지 다양한 형식의 서류, 과도한 P2P 상호 작용 및 의사교환 표준의 부재 등 3대 '데이터 장벽(data challenges)'이 존재하는 것이 현실이다.

블록체인 기술의 장점은 위와 같은 데이터 장벽을 낮추는 데 효과적인 것으로 평가되고 있다. 먼저, 블록체인 기술은 투명한 분산 원장을 통한 모든 제품의 거래 과정을 원산지부터 추적이 가능하며 중간 관리자 및 거래자의 역할 감소로 불필요한 거래

시간 단축 및 비용을 절감하고, 거래의 정확성 및 확인에 대한 검증 시간 단축으로 궁극적으로 거래 활성화 촉진에도 기여할 수 있다.

즉, 궁극적으로 블록체인 기술을 통한 행정절차 간소화는 막대한 비용 절감 효과를 가져다줄 수 있을 것으로 기대되는 것이다. IBM 분석에 따르면, 무역문서 처리 및 관리와 관련된 비용은 전체 운송비용의 15~20% (나이로비~로테르담 운송 시 3백 달러)로 추정되며, 블록체인 기술 도입 시 이와 같은 비용이 완벽하게 제거될 수 있다고 예상된다.

이에 그치지 않고, 블록체인 기술을 이용하면 나아가 이론적으로 Paperless 운송 거래도 가능할 것으로 판단된다. 따라서 블록체인에 참여하는 각 주체들간 상호 신뢰가 형성될 경우, 특히 개도국이나 후진국에서의 운송 거래 시 빈번히 발생하는 인편에 의한 서류 제출 및 검증이 획기적으로 감소할 수 있을 것으로 예상된다.

하지만 아직까지 중소 화주, 포워더, 트럭킹업체들은 여전히 팩스나 전화 등으로 거래가 진행되고 있어 이들을 블록체인의 주체로 참여를 독려해야 하는 문제는 여전히 존재한다.

마지막으로 블록체인기술을 이용하면 기존 문서 교환의 부정확성으로 인한 분쟁해결 시간도 감소할 것으로 기대된다. IBM은 자체 프로젝트를 통해 4천 개 이상 협력사와의 거래실적(연간 290만 개)을 분석, 거래 시 분쟁 발생 건수가 1일 평균 70~80건이며 건당 분쟁해결 소요시간을 기존 40일에서 블록체인 기술을 활용해 10일로 단축할 수 있었다고 밝혔다.[20)]

20) 블록체인 기술 적용으로 컨테이너 화주의 비용 20% 절감 가능 - 한국 해운·물류의 경쟁력 제고 기회로 적극 활용해야 -, KMI 동향분석, 2017.04

IV. 블록체인 물류 시장 동향

4. 블록체인 물류 시장 동향[21)]

IBM사는 블록체인을 기반으로 하는 솔루션이 전 세계 컨테이너 해운물류업계에 상용화될 경우, 연간 총 물류비용의 약 20%인 270억 달러의 서류·행정 비용이 절감될 것으로 추산했다.

이때, 블록체인 기반의 솔루션은 공공원장(하이퍼렛저, Hyperledger) 플랫폼에 기반을 둔 것으로 전 세계 컨테이너 해운물류 부문에 상용화될 경우 전체 공급사슬에서 발생하는 복잡한 서류·행정 절차 및 비용을 획기적으로 줄일 수 있을 것으로 기대되며, 이론적으로 볼 때, 절감 가능한 서류·행정 비용은 전체 물류비용의 약 20%로써 연간 270억 달러로 추산된다.

세계경제포럼(WEF) 회장 클라우드 슈밥은 4차 산업혁명을 이끌 미래 3대 기술로 물리학, 디지털, 생물학 기술을 지목하며, 이 중 블록체인 기술이 향후 개인과 기관의 참여 및 협업 방식을 완전히 바꿔놓을 것으로 전망했다.

특히 WEF는 자체 설문조사를 통해 2025년까지 전 세계 GDP의 10%가 블록체인에 저장될 가능성이 매우 높은 것으로 전망했으며 특히 블록체인상 분산형 애플리케이션("슈퍼우버" 또는 "수버")이 현재 공유경제 측면의 최첨단 플랫폼인 우버를 대체하여, 진정한 공유경제를 실현시켜줄 것이라고 주장했다.

현재까지는 블록체인 물류의 시장 전망이 정확히 추정된 것이 없기 때문에 본 보고서에서는 블록체인 시장 전망을 알아보고, 이를 통해 블록체인 물류 시장을 전망해보고자 한다.

---

21) 블록체인 기술 적용으로 컨테이너 화주의 비용 20% 절감 가능, KMI 동향분석, 2017.04

가. 블록체인 시장 전망

1) 세계 시장

IDC가 최근 발표한 보고서에 따르면, 2018년 글로벌 기업이 블록체인에 투자하는 규모는 21억 달러로 전망되며 이는 2017년 대비 2배가 증가한 수치이다. 국가별로는 미국이 글로벌 지출의 40%에 해당하는 가장 많은 지출을 할 것으로 예상되며, 다음으로는 서유럽, 중국, 아시아 태평양(일본 제외) 지역이 그 뒤를 따랐다. 이 수치는 2021년에는 4배 가까이 증가하여 블록체인에 대한 지출이 97억 달러에 도달할 전망이다. 또한 Tractica에 따르면 기업용도의 블록체인은 2025년 199억 달러에 이를 것으로 예측된다.

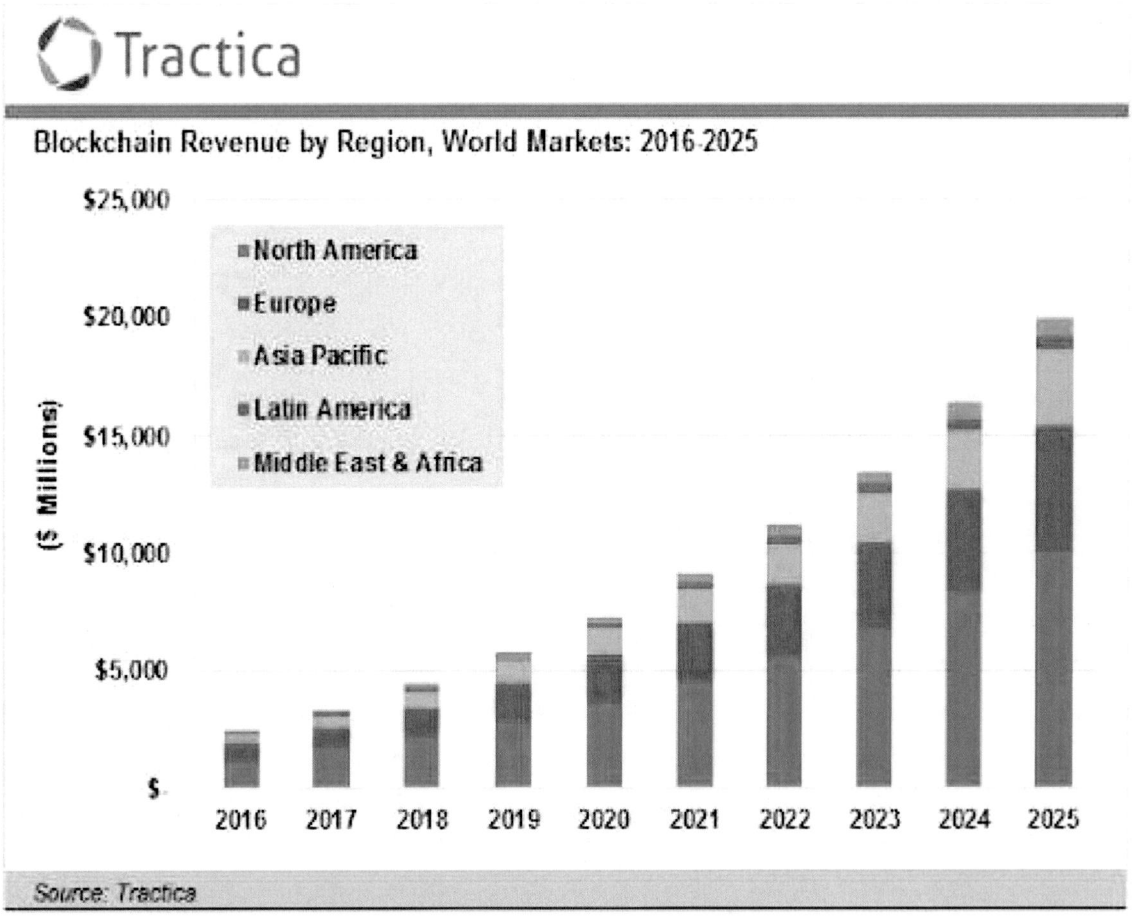

[그림 18] 세계 지역별 블록체인 투자 전망

독일의 시장조사 기업인 Statista에 따르면, 2021년 블록체인 시장규모는 지속적인 성장을 통해 약 2조 5,851억원에 달할 것으로 전망된다.

블록체인 기술을 선도하고 있는 미국의 경우 블록체인에 대한 지출을 가장 많이 할 것으로 예상되는 산업 분야로 금융서비스, 제조업이 지목되었고, 이 분야들의 연간 성장률은 83%를 넘을 것으로 전망된다.

이에 더불어 미국 포춘 비즈니스에 따르면 블록체인 기술 시장이 지난 2017년에 16억4000만 달러에서 시작해 매년 38% 이상 성장하여 오는 2025년에는 210억 달러 규모에 이를 것으로 전망했다.

포춘 비즈니스는 코로나19 확산에 따른 전 세계적 경기 침체에도 불구하고 기업 시장에서 블록체인 기술 부문에 대한 투자는 꾸준히 증가할 것으로 보았다.

투자 확대에 따른 연구 개발 활성화가 공공 및 정부의 인지도 향상, 규제 완화로 이어져 블록체인 산업 성장이 점차 가속될 것으로 분석했다.

[그림 19] 블록체인 시장 전망

22) 이외에도 시장조사기관 Gartner는 블록체인 시장규모를 2022년까지 100억 달러 규모로 성장할 것으로 예상했다. 연평균 성장률(GAGR)은 61.6%로 타 기술대비 가장 빠르게 성장할 것으로 전망된다. 블록체인으로 인한 파생시장 규모는 $10B (약 11조 원)로 예상된다. Global 블록체인 유스케이스 중 50%가 금융영역으로 파악된다.

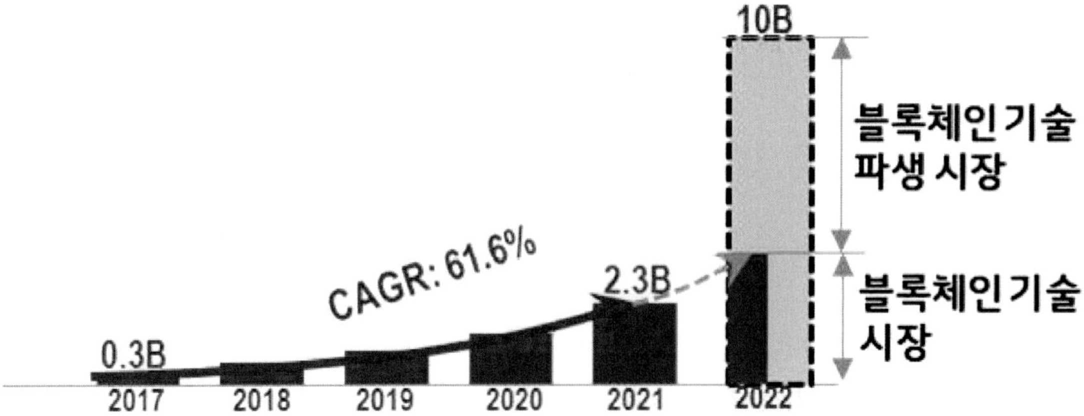

[그림 20] Global 블록체인 시장 예측

23)

또한, 가트너는 뒤이어 블록체인의 연간 성장률을 2020년 기준 128%로 예상하며 사업적 부가가치는 2030년에는 3조 달러를 초과할 것으로 예측했다.

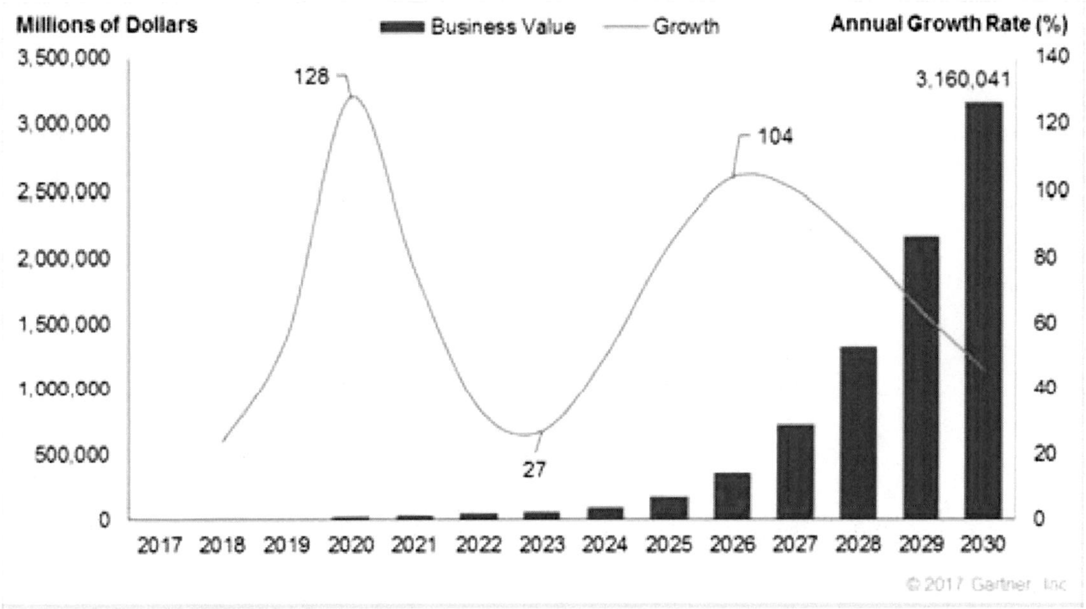

[그림 21] 2017~2030년 전세계 블록체인 사업 부가가치 예측

22) 블록체인 시장 규모 6000억 돌파, 2021년에 2조 6천억 원, 스팀 가격도 함께 오를까? steemit
23) 자료 : Technavio '16. Gartner '17

이외에도 ABI 리서치는 핀테크 업계를 비롯해 여러 산업에서 블록체인 응용 분야 개발과 시범 테스트가 빠른 속도로 증가 및 확대됨에 따라 2023년에는 블록체인 매출이 106억 달러를 넘어설 것으로 전망했다.

2020년 코로나19로 인한 봉쇄조치와 경기침체 상황에서 글로벌 2000대 기업들은 첨단기술 투자를 대폭 축소한 것으로 나타났으며 코로나19는 첨단기술 중 블록체인 산업에 가장 큰 충격을 준 것으로 확인됐다. 블록체인 투자금은 평균 63% 감소하며 첨단기술 부문 중 가장 높은 자금 손실율을 보이기도 했다.

블록체인의 가중평균 투자금은 1800만 달러(213억원) 상당으로 첨단기술 중 최대 규모를 자랑했지만, 코로나19 확산 이후에는 650만 달러(77억) 수준으로 급감해 투자금이 두 번째로 적은 첨단기술 부문이 됐다.

한편, 글로벌 대기업들은 포스트 코로나 시대 생존 전략으로 블록체인과 같은 첨단기술에 대한 투자를 고려하고 있는 것으로 나타났다.

또한, 코인텔레그래프에 따르면, 세계무역기구(WTO)는 블록체인과 국제무역에 대한 보고서를 통해 블록체인 기술이 국가 간의 무역과 금융, 관세, 운송 산업에 지대한 영향을 미칠 것이며, 오는 2030년에는 그 가치가 3조 달러에 달할 것으로 전망했다.

중국의 경우, 2023년까지 블록체인 기술에 투자하는 비용이 20억 달러(2조 3000억원)을 넘어설 것으로 추정했다. 2018년부터 2023년까지 중국 블록체인 산업의 연평균 성장률은 65.7%로 전망된다.

2) 국내 시장

한국과학기술정보원(KISTI)이 시장조사기관 '마켓 앤 마켓'과 '코인저널' 등의 자료를 종합해 분석한 블록체인 시장전망을 보면, 세계 블록체인 시장은 2015년 1억3천만 달러에서 2018년에는 5억5천만 달러로의 성장을 이루었고, 2022년에는 37억4천만 달러로 커질 것으로 예상됐다.

국내 시장은 2015년 124억원에서 2018년에는 524억 원으로 늘어난 바 있으며, 2022년에는 3562억 원으로 성장할 것으로 전망됐다. 해마다 평균 61.5%씩 커지는 셈이다.

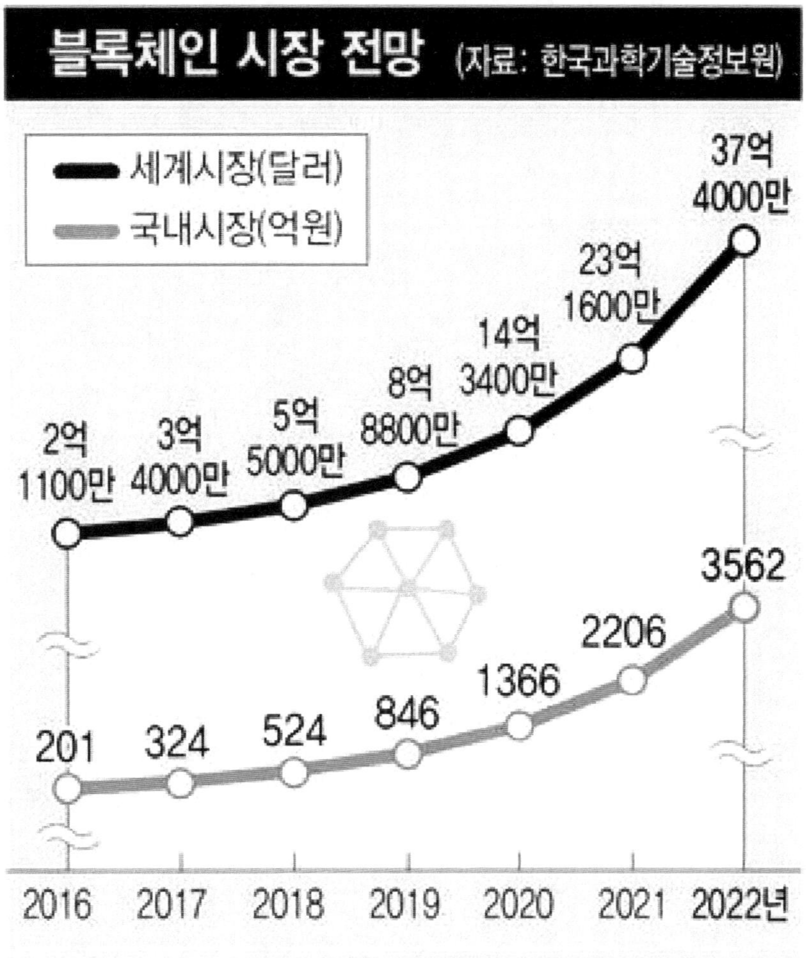

24)

[그림 22] 블록체인 시장 전망

24) 가상통화는 뭇매 맞아도 날개 단 '블록체인 기술', 한겨레, 2018.01.14

나. 산업별 블록체인 시장 전망

블록체인은 금융, 유통·서비스, 제조, 인프라, 공공서비스 등 전 영역으로 파급될 것으로 전망되고 있으며 블록체인 투자는 2021년까지 연평균 66.6% 증가해 18억 달러에 이를 것으로 예상되고 2021년에도 금융 분야의 투자비중이 가장 클 것으로 전망된다.

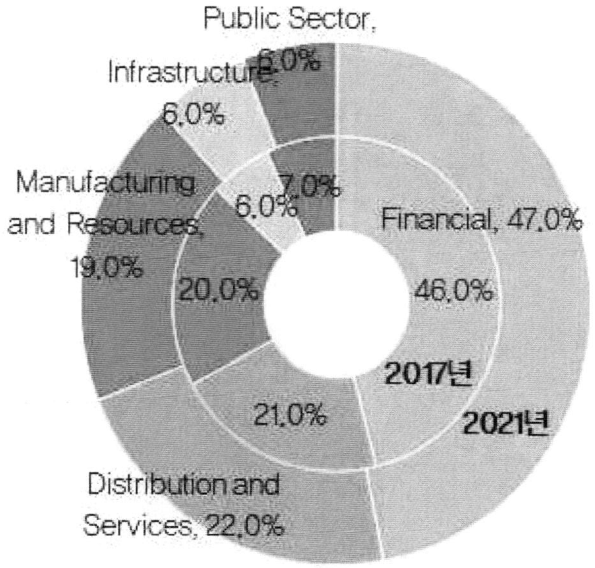

[그림 23] 글로벌 블록체인 산업별 투자 비중

유럽집행위원회(EC)가 EU 블록체인 포럼에서 발표한 각 분야별 블록체인의 활용현황에 따르면, 은행 및 금융 분야가 30%로 가장 큰 비중 차지하고 있으며 정부와 공공 13%, 보험 12%, 헬스케어와 미디어 각각 8% 순으로 나타났다.

IDC에서 조사한 블록체인 산업별 투자비 중에서도 유럽의 은행 및 보험을 포함한 금융 분야 블록체인 활용 비중은 42%로 글로벌 시장 투자 비중 46%와 유사한 수준을 보이고 있으며 정부와 공공분야는 글로벌 수준 7%보다 유럽에서 훨씬 높은 수치 13%를 나타내고 있다.

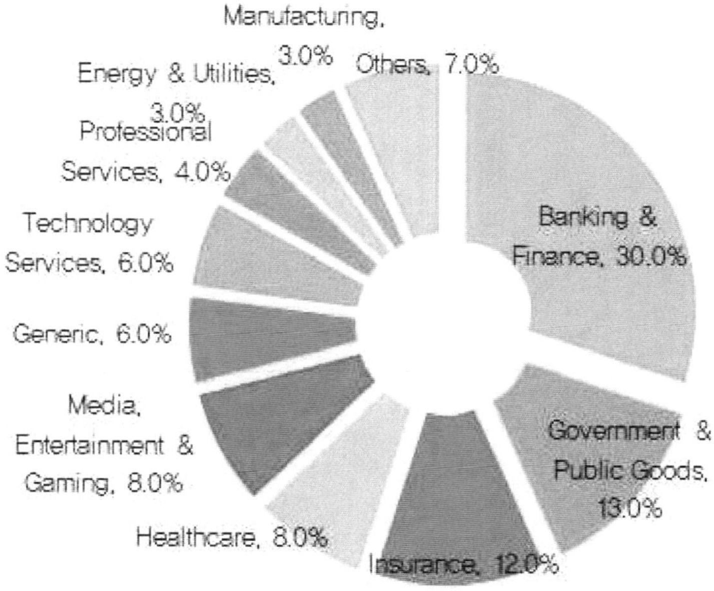

25)

[그림 24] 유럽 블록체인 산업별 활용 비중

블록체인 기술의 응용 주체들은 저마다의 서비스 생태계 구축을 위해 블록체인 공통의 잠재력을 활용하는 것에 더해 분야별 차별적인 응용 목적성을 내재하고 있다. 분야별 응용 목적성을 살펴보면 다음과 같다.

① 암호화폐

P2P 신뢰 네트워크 기반의 전자화폐, 실시간 결제 등 가치의 저장 및 이동 프로세스 혁신을 추구하는 것에서 시작하여 분산합의 플랫폼으로의 확장을 통해 수많은 영역에서의 응용 시도가 활발하게 이뤄지고 있다.

② 금융기관

기존 금융시스템의 절차 및 보안 개선을 위해 계약체결, 송금 및 결제, 채권발행 및 주식거래 등 금융서비스 대부분에 블록체인 적용을 확대하는 중이다. 또한, 컨소시엄 및 스타트업 등을 통한 새롭고 혁신적인 금융서비스 가치 창출을 위한 경쟁 강도가 증가하고 있다.

③ 산업특화

블록체인 기술을 활용하여 다양한 연관 산업 주체가 참여하는 산업 meshup형 비즈니스 모델, 탈중개형 비즈니스 모델, 공동인증형 비즈니스 모델 등 다양한 비즈니스 모델이 등장하고 있다.

25) 블록체인 기반 공공 플랫폼 구축을 위한 제언, CCTV뉴스, 2018.07.31

④ **공공조직**

블록체인 기반 공공부문 행정정보 관리, 신원확인, 주민투표, 치안, 자산이력 추적, 교통 및 전력 등 다양한 분야의 공공인프라 관리로 공공부문의 투명성, 효율성 확보 및 행정 절차 간소화 실현 등으로 국민 편익 증대를 추구하고 있다.

⑤ **민간기업**

글로벌 주요 IT 기업들은 본연의 사업 영역에 블록체인 기술을 활용하거나, 블록체인 플랫폼 기반 응용영역에서의 주도권 확보를 위해 투자를 확대 중이다.

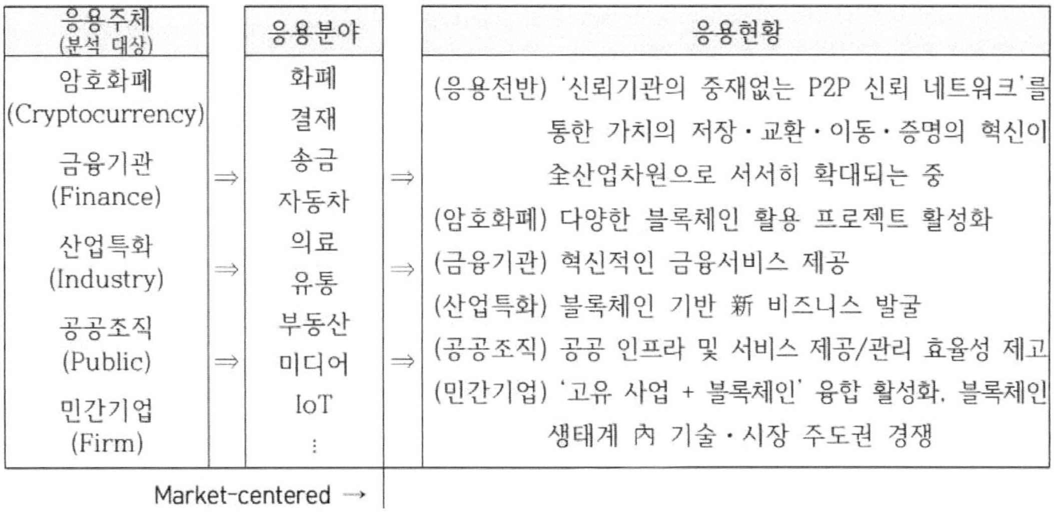

26)

[그림 25] 블록체인 응용 주체, 분야 및 현황

블록체인의 응용 분포는 초기에 적용된 금융(결재, 화폐, 보안 등)뿐만 아니라 부동산, 유통, 자동차, 미디어 등 다양한 타산업에서 기술/비즈니스 모델 개발 등 적용 시도가 활발하게 이뤄지고 있다.

특히, 플랫폼을 제공함으로써 다양한 응용 영역을 발굴하고자 하는 노력이 확산되고 있으며 응용분야는 총 45개, 결재・보안・화폐・플랫폼・부동산은 사례가 10개 이상, 유통・미디어・투표・송금・의료・자동차는 5개 이상인 분야로 나타났다.

또한, 응용 사례의 빈도가 1~3회 이하인 분야가 전체의 73.3%에 달해 블록체인의 산업적 응용이 서서히 활성화되는 단계로 판단된다. (1회 이하 51.1%, 5회 이하 82.2%)

26) ETRI 미래전략연구소 기술경제연구본부

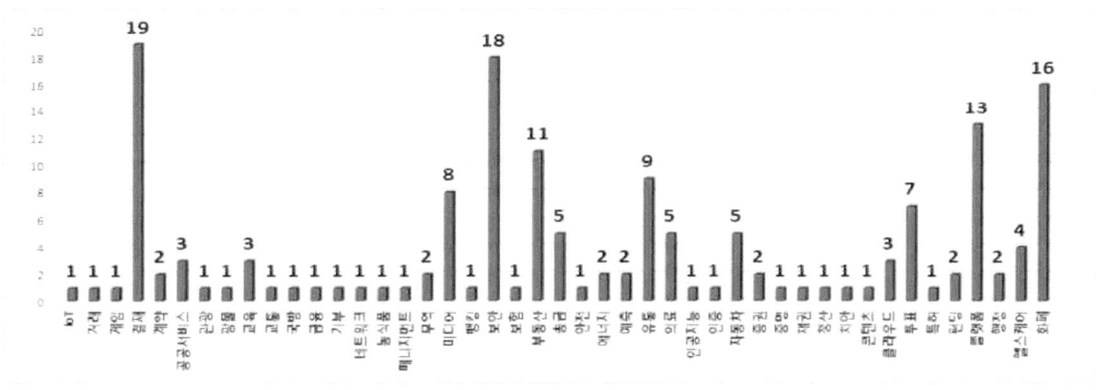

[그림 26] 블록체인 응용 분야별 빈도 분포

27)

응용분야별로 보안성, 투명성, 효율성 등 블록체인을 통해 공통의 이점을 추구하는 동시에 주된 응용 분야의 이질성을 보이고 있는데, 응용 분야별 응용 특징을 살펴보면 다음과 같다.

① 암호화폐

결재, 화폐 등의 금융 서비스와 산업 응용을 위한 플랫폼 제공의 2가지 핵심 응용에 더해 기부, 예측, 유통, IoT 등 블록체인 기술을 통해 혁신이 일어날 수 있는 다양한 응용 서비스 분야의 발굴 노력이 활발하게 이뤄지고 있다.

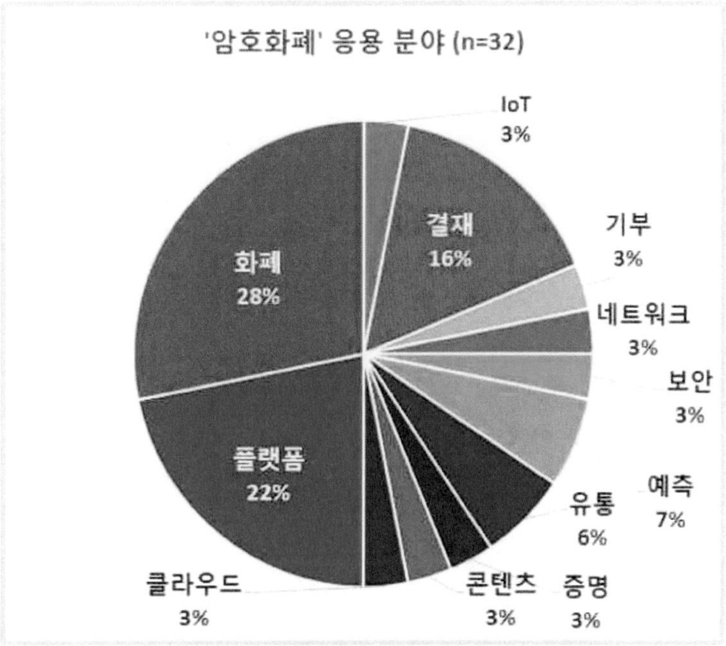

[그림 27] 암호화폐 응용 분야

27) ETRI 미래전략연구소 기술경제연구본부

② **금융기관**

본연의 사업 영역인 금융서비스의 혁신을 위해 결재, 송금 및 보안 등의 분야에 대한 투자를 확대하고 있다.

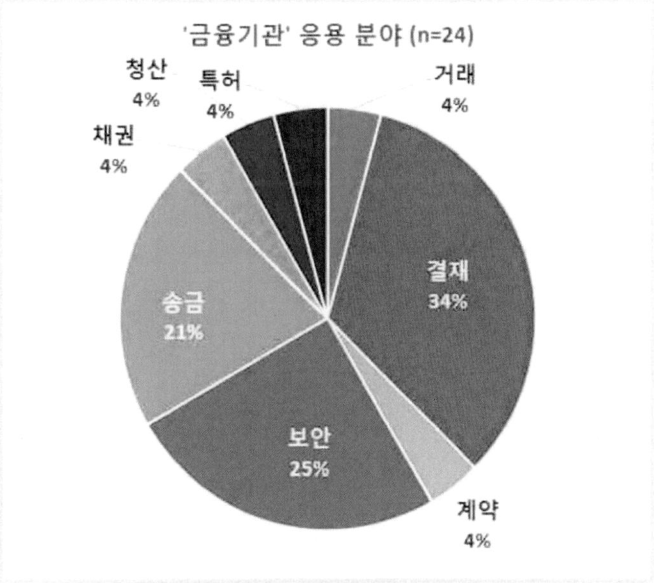

[그림 28] 금융기관 응용 분야

③ **산업특화**

블록체인 기술 응용의 다양성을 보여주는 부문으로 특정 응용 분야에 치중하지 않고 다양한 산업 분야에의 응용 가능성(비즈니스 모델 정립)을 시도 중에 있다.

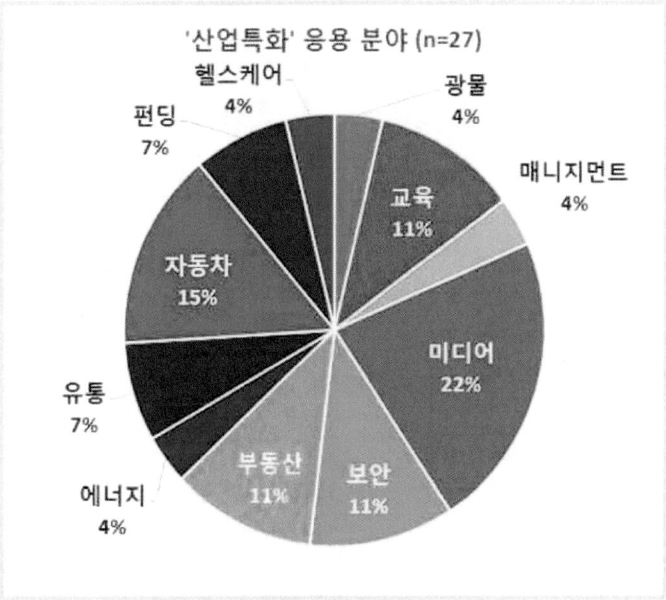

[그림 29] 산업특화 응용 분야

④ **공공조직**

투표, 의료, 부동산, 행정, 보안, 교통, 관광, 무역 등 주로 공공 인프라 및 서비스 혁신을 위해 블록체인 기술을 도입·적용 중에 있다.

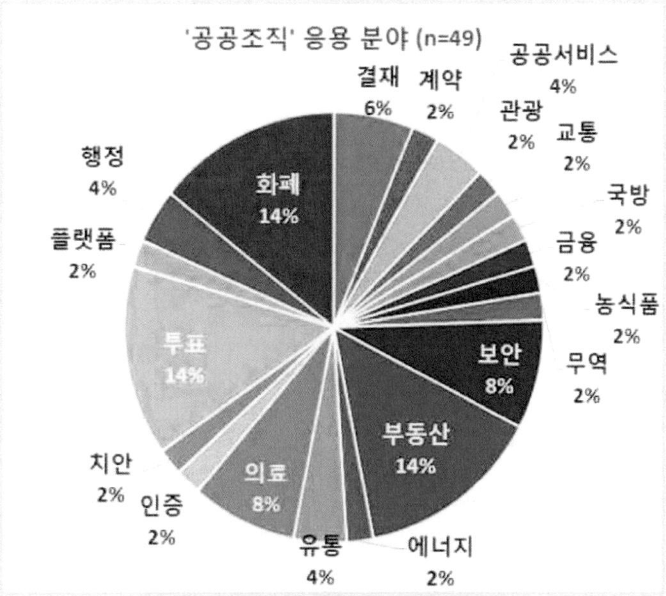

[그림 30] 공공조직 응용 분야

⑤ **민간기업**

블록체인 응용을 위한 플랫폼 및 솔루션 제공과 유통, 결재, 보안 등 자사의 제품/서비스 제공을 위한 인프라 및 프로세스 혁신에 집중하는 경향이 있다.

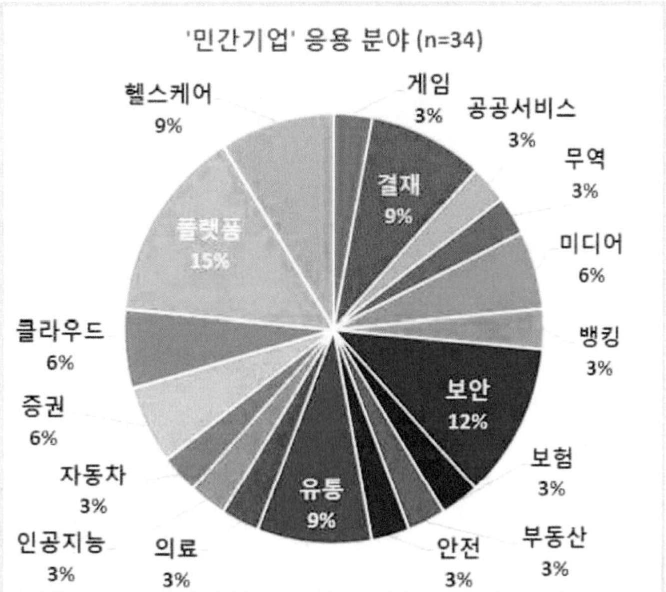

[그림 31] 민간기업 응용 분야

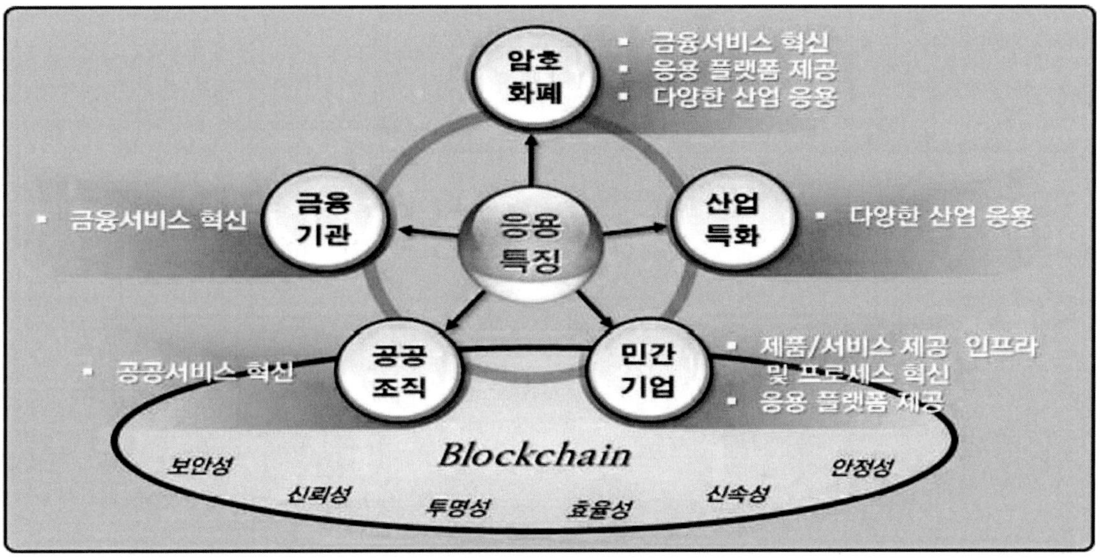

[그림 32] 응용분야별 블록체인 특징

국내외의 응용 특징을 살펴보면, 응용 분야의 스펙트럼이 해외에 비해 국내가 상대적으로 좁은 편이나, 아직 초기 응용 단계로 주도권 확보 기회는 존재한다. 국내외간 응용 사례 수의 차이가 존재하나, 국외의 응용 분야 다양성 결과는 국내 주체들에게 블록체인 적용 분야에 대한 방향성 정립에 일정 부분 도움이 될 수 있다.

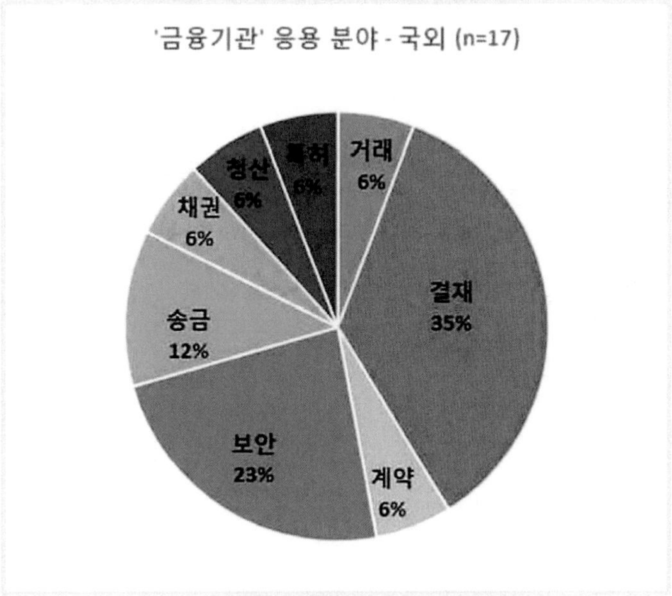

[그림 33] 국외 금융기관 응용 분야

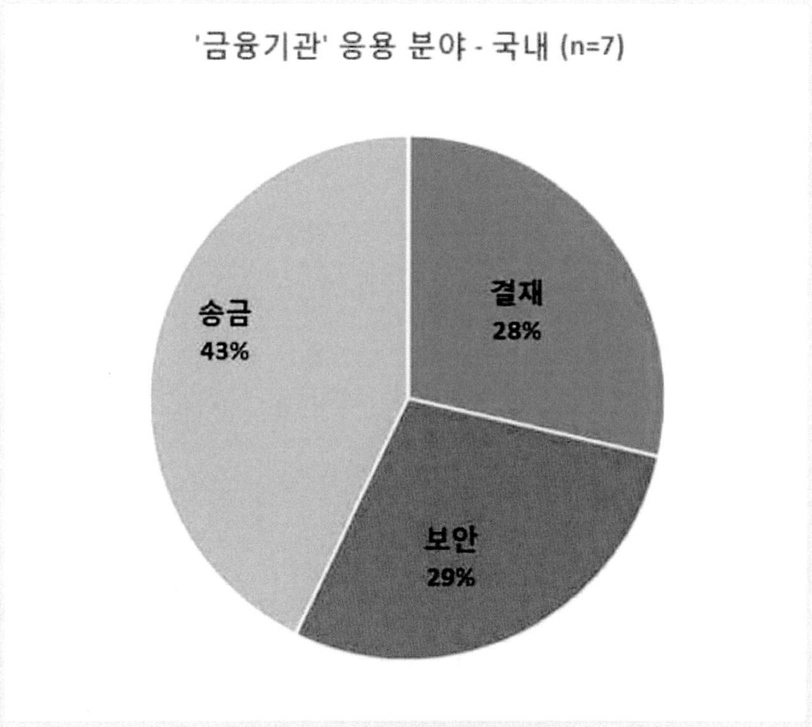

[그림 34] 국내 금융기관 응용 분야

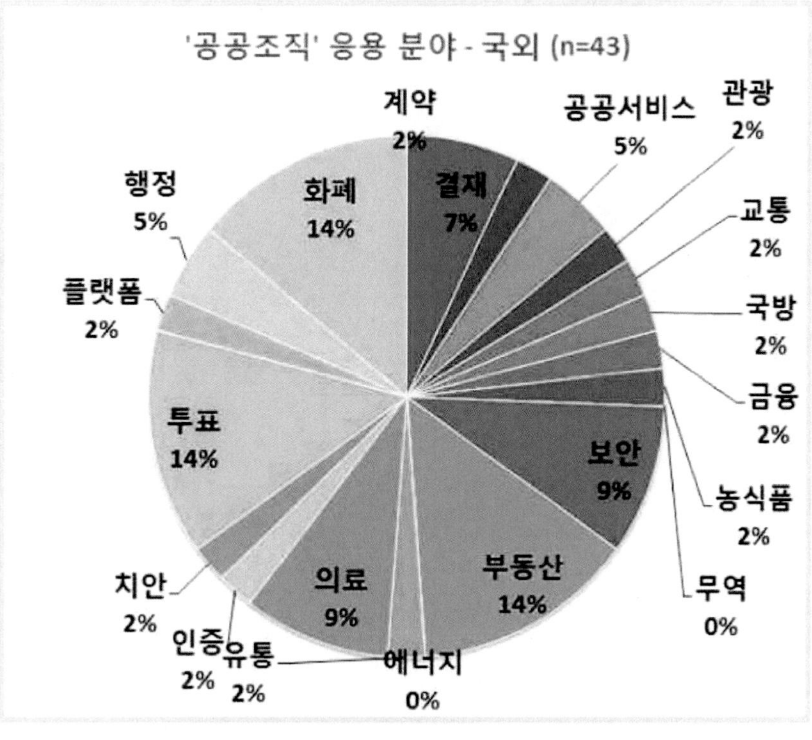

[그림 35] 국외 공공조직 응용 분야

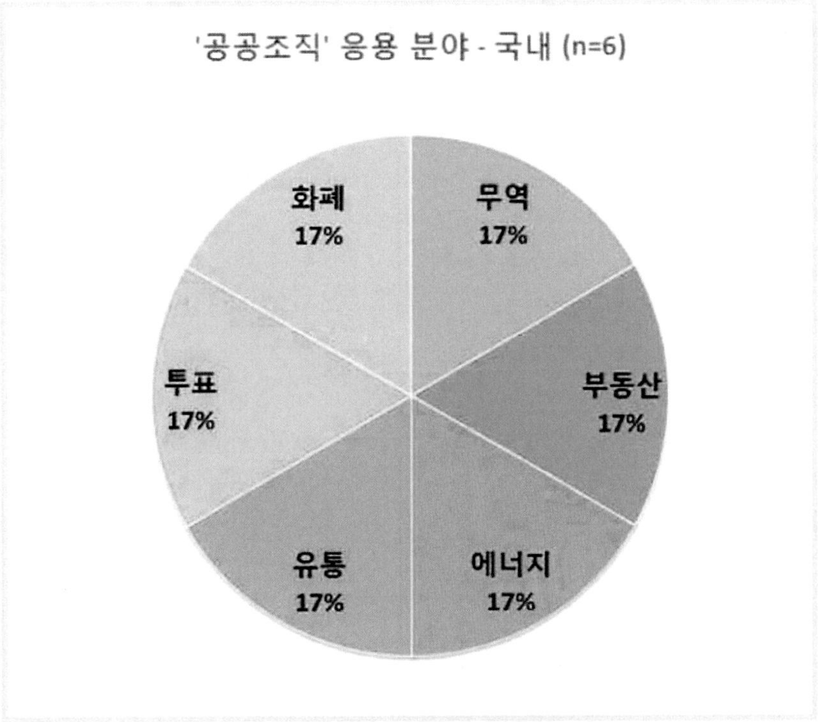

[그림 36] 국내 공공조직 응용 분야

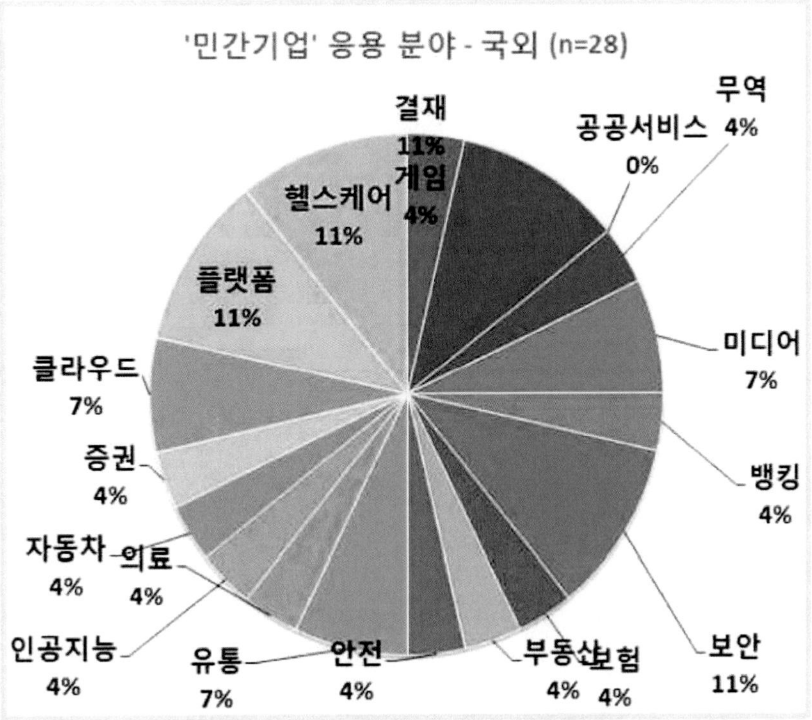

[그림 37] 국외 민간기업 응용 분야

[그림 38] 국내 민간기업 응용 분야

V. 블록체인 물류 기술동향

5. 블록체인 물류 기술동향

가. 국외 동향

1) 중국

2016년 중국은 13차 5개년 계획(2016~2020) 발표 시, 인터넷, 클라우드 컴퓨팅, 대용량 데이터(빅데이터), 인공지능, 자율학습, 바이오-유전자 기술 등과 함께 블록체인을 지원 대상 "신기술" 범위에 포함시키며 중국인민은행은 2016년 초반 비트코인을 의미하는 전자화폐 발행을 위해 필요한 조치를 취해 나갈 것이라고 언급하기도 했다.

2017년 4월 중국의 이지안(Yijian) 블록체인 기술응용 시스템 사는 IBM 및 중국 공급사슬 관리회사인 허지아(Hejia)사와 파트너십을 맺고, 의약품 흐름 추적, 거래 기록의 암호화, 거래의 진위 판단 제공을 통한 투명성 제고를 목표로 한 블록체인 플랫폼 개발에 착수했다. 이 프로젝트의 최종 목적은 현행 60~90일이 걸리는 의약품의 소매상 전달 시간을 대폭 단축시키는 것이다.

해외 거래처들로부터 블록체인 테크놀로지의 파급력을 생생하게 목격한 '중국물류여채구연합회(China Federation of Logistics and Purchasing: CFLP)'는 자국 물류 산업에 블록체인 기술 도입을 촉진하고자 '블록체인 어플리케이션 분과위원회'를 창설했다.

CFLP에 따르면, 현재 중국은 공급체인 관리에 있어 건전성을 갖춘 업체들이 부상하고 있으며, 가속화된 경쟁 및 공급체인 업체 간 인수합병 등으로 물류 부문이 성장하고 있다.

블록체인 도입으로 물류 합리화를 꾀하는 해외 사례에 자극받은 물류 업체들은 중국에도 그 기술을 적용시켜 표준 및 규정 구축, 블록체인에 기반을 둔 기업 간 신용거래 메커니즘 도입, 블록체인의 대중화, 물류 산업의 수준 향상을 선도할 계획이다. 이를 위해, 중국 내 블록체인 테크놀로지를 지원하는 유일한 민간 기업인 Singularity가 그 기술과 관련한 자사의 누적된 R&D 역량을 물류 산업에 이식할 예정이다.

물류에 블록체인 기술이 도입될 경우, 무엇보다도 공급체인 상류(up-stream supply chain)에 있는 신용등급이 낮은 영세 중소기업들의 자금난이 해소될 것으로 전망된다.

중국 공급체인 상류에는 대부분 영세 중소기업이 차지하고 있으며, 신용등급이 낮아 은행 대출 접근성이 저조한 까닭에 신규 서비스 개발 및 실행에 필요한 자금력이 매우 부족한 것이 현실이다.

중국 정부 및 CFLP는 이 문제를 시정해 줄 것을 은행에 요구했지만 물류 관련 영세 업체의 자금 대출로 이어지지 않고 있으며, 이에 대해 Singularity의 대표 리우 양(Liu Yang)은 블록체인 테크놀로지가 그에 대한 해결책이 될 수 있다고 자신감을 표명했다. 즉, 영세한 기업들의 비즈니스 흐름이 불투명하다는 점이 대출의 큰 걸림돌이었는데, 블록체인은 투명성을 보장하기 때문에 해당 기업의 사업 운영이 가시화되어 은행은 그들의 사업 전반을 파악하게 되고, 그에 따라 기업의 신용등급이 상향조정될 가능성이 열려 공장이나 창고 같은 담보물 없이도 대출을 받는 결과로 이어질 수 있다는 것이다.[28)]

중국 현지 매체인 바비트(巴比特)에 따르면, 2020년 현재 중국 국가우편국(家政局)은 '배송업과 제조업의 융합발전 촉진에 관한 의견'을 통해 블록체인 등 신흥 기술을 이용해 스마트 물류 시스템을 만들겠다고 발표했다.

국가우편국은 블록체인 스마트 물류 시스템을 구축해 블록체인, 5G, 빅데이터, 클라우드, 인공지능, 사물인터넷 등 신기술을 배송업에 대량 투입해 인프라, 장치 및 작업 시스템의 정보화, 자동화, 지능화를 향상하겠다고 밝혔다.

또한, 배송 업체들이 의약 창고와 의약유통이 가능하도록 관련 조건을 취득하고 전국을 커버할 수 있는 블록체인 의약 물류 시스템을 구축하기 위해 지속적인 노력을 하고 있다.

특히 의약용품을 배송하는 경우에는 블록체인을 활용해 냉장 차량, 온습도센서 등 장비를 우선 업데이트하며 다른 기술 장치의 연구개발과 적용에도 블록체인 기술을 투입할 예정이다.[29)]

이 외에도 중국은 최근 블록체인 산업 육성 의지를 드러냈다. 시진핑 주석은 "블록체인 기초 연구를 강화하고 원천기술 확대에 힘쓰겠다"며 "중국이 블록체인 혁신에 앞장 서 우위를 확보해야 한다. 산업 간 시너지를 통해 블록체인 활용 영역을 넓히고 기술을 뒷받침해야 한다"고 말했다.

블록체인을 향한 중국 정부의 관심은 페이스북의 암호화폐 프로젝트 '리브라' 공개 이후 짙어졌다. 중국 인민은행은 리브라 공개 직후 자체 디지털화폐(CBDC)를 준비하고 있다는 보도가 쏟아져 나왔다. 외신들에 따르면 인민은행은 11월 11일 중국 광군절 전후로 CBDC를 발행할 계획이다. 알리바바와 텐센트, 공상은행, 유니온페이 등 7

28) 글로벌 물류기술 주간동향, 한국교통연구원, 2017.04.25
29) 중국 국가우편국, 블록체인 활용해 '스마트 물류 시스템' 구축/ TVCC

개 기업이 이를 취급할 것으로 알려진다.

2) 일본

소프트웨어 개발업체인 세존정보시스템즈와 비트코인 회사인 GMO인터넷은 공동으로 블록체인과 사물인터넷(IoT)을 활용한 택배보관 라커 시스템을 개발했다.

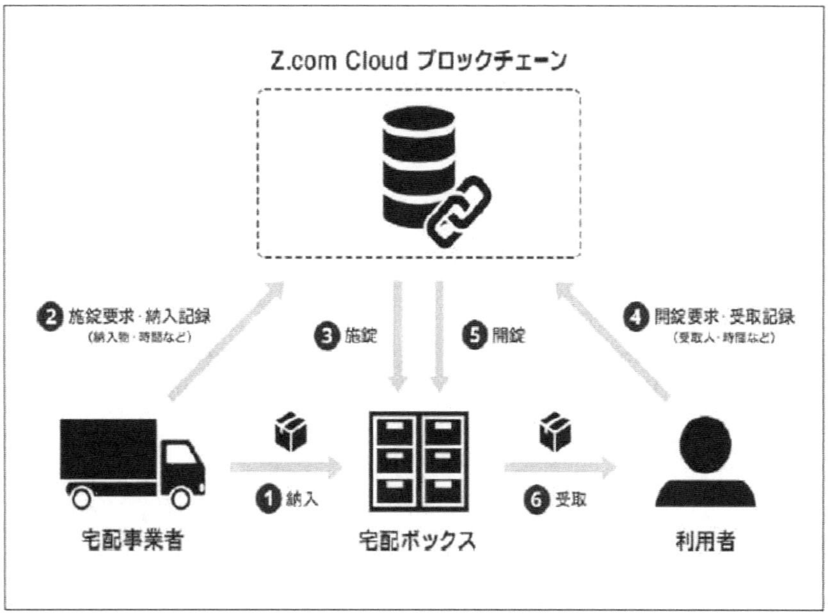

자료 : https://cloud.z.com/jp/products/blockchain/

[그림 40] 블록체인을 활용한 택배보관 라커 시스템

세존정보시스템즈는 GMO인터넷이 제공하는 클라우드형 블록체인에 시스템을 구축하고 2016년 12월과 2017년 5~6월 2차례에 걸쳐 실증실험을 했다. 두 번째 실험에는 패션몰을 운영하는 PARCO의 사이트와 연계해 검증작업을 진행했다.

2017년 가을에는 운송사업자와 택배박스 회사도 참가시켜 외부 시스템과 연계할 수 있는 API(응용프로그램 인터페이스)를 택배회사 등에 제공해 기존의 배송시스템과 택배보관 라커도 블록체인에 대응할 수 있는지를 확인하는 실증실험을 거친 것으로 알려졌다.

블록체인 기술이 적용된 것은 화물을 안전하고 확실하게 수취할 수 있게 하는 택배보관 라커의 개폐 제어 부분이다. 이 택배보관 라커는 GMO인터넷이 제공하는 블록체

인 플랫폼을 기반으로 하는 기업용 클라우드 'Z.com Cloud 블록체인' 상에서 사전에 설정한 조건을 충족하면 계약에 따른 프로그램을 자동으로 실행 할 수 있는 환경을 장착한 것이 특징이다.

기존의 택배보관 라커는 비밀번호를 잊어버리거나 카드키를 분실할 우려가 있으며 비밀번호가 노출되면 상품을 도난당할 가능성도 있다. 그러나 세존정보시스템즈가 개발한 블록체인 택배보관 라커 시스템은 가상통화의 핵심기술인 블록체인을 사용해 배달처로 지정된 사람만이 화물을 받을 수 있는 구조이며, 운송사업자와 택배 서비스 이용자는 스마트폰의 전용 앱으로 택배보관 박스에 접근할 수 있다.

이용 방법은 다음과 같다. 운송사업자가 앱에 로그인하면 이용 가능한 라커의 번호가 표시된다. 라커에 화물을 넣고 문을 닫은 후, 배달처로 등록된 이용자를 앱으로 지정해 잠금장치를 요구하면 블록체인에 정보가 기록되고 자물쇠가 잠긴다.

이후에는 배달완료 메시지가 이용자의 스마트폰으로 전송되고 이용자는 자택 등에 도착하면 앱에 로그인해 화물이 들어 있는 라커의 번호를 선택해 문을 열면 된다. 화물을 꺼내면 역시 블록체인에 수령 정보가 기록된다.

블록체인에는 택배보관 박스의 개폐 이력과 잠금·해제 요구 같은 정보가 수정할 수 없는 상태로 기록되기 때문에 한 번 잠긴 택배보관 라커는 디지털 키를 받은 본인만 열 수 있는 구조를 갖추고 있다.

블록체인 상에 정보를 기록한다는 것의 장점은 특정 배송업자에 얽매이지 않고 누가 언제 택배보관 박스를 열고 닫았는지, 무엇을 받았는지를 반영구적으로 증명하고 보증할 수 있다는 사실이다. 누가 언제 박스를 열고 닫았는지 확실하게 파악할 수 있기 때문에 화물이 제대로 전달되지 않는 문제가 발생해도 어디에 문제가 있었는지 분석할 수 있다는 것이 가장 큰 장점이다.

또한, 택배보관 박스에 탑재된 화물의 센싱이나 수취 오퍼레이션, 메시지 통지 등의 기능을 사용함으로써 오배송이나 도난에 따른 화물의 분실을 막고 대면 거래와 같은 수준의 배송품질을 실현할 수 있다.

구매자가 화물을 받아야 구매대금이 판매자에게 송금되는 에스크로 기능을 활용하면 화물 수취와 동시에 결제할 수 있고 수취인이 부재중이어도 대금인환 화물을 재배달할 필요가 없기 때문에 배송의 효율성을 높일 수 있다.[30]

30) Part 4. 블록체인 해외 물류 적용 사례, 물류신문, 2018.02.26

또한, 일본은 현재 블록체인 2.0 부분인 금융관련 분야에서 서비스 검증 및 비용절감 효과를 극대화하기 위한 민간기업 주도의 움직임이 활발하게 이루어지고 있다.

일본의 대표적인 메가 뱅크인 미츠비시 은행은 2020년 블록체인 기술을 활용한 글로벌 오픈 네트워크 형태의 결제 시스템 서비스를 위하여 자체 코인을 발행하였으며 금융 분야와 함께 사물인터넷 및 크라우드 컴퓨팅과도 연계될 것으로 예상된다.

이 외에도 일본 기업, LINE의 경우 독자적인 블록체인 네트워크 기술인 link chain을 기반으로 한 Dapps (분산형 어플리케이션) Q&A 서비스로 앱은 물론 pc/mobile 블랫폼에 대응하고 있으며 스마트폰 게임 어플리케이션 아바베루 루피나스를 운영하는 Asobimo Inc 사는 블록체인 관련 마켓 플레이스 서비스 ASOBI MARKE을 이용하여 ASOBI 코인을 이용한 게임 아이템 거래가 가능토록하기도 했다.

이는 기본서비스가 블록체인 서비스와 접목된 사례로서 게임 아이템 판매로 획득한 아소비 코인을 이용해 마켓 내 연계 아이템 구입이 가능하게 했다는 점에서 획기적이라 할 수 있으며 아소비 마켓 플레이스 수수료로 결제 금액의 30%를 부과함으로써 운영 회사의 수익기반 창출이 가능하도록 설계되어 있다. [31]

31) 일본 콘텐츠 산업 동향

3) 이스라엘[32)]

이스라엘 컨테이너 운송회사인 ZIM이 블록체인 기술을 적용한 컨테이너 운송에 성공했으며, 블록체인 적용으로 컨테이너 대당 300달러의 비용절감 효과가 발생한다는 분석을 제기했다.

[그림 41] ZIM

이스라엘 소재 컨테이너 운송사 ZIM은 블록체인 기술을 활용한 선하증권을 발급하고, 이를 이용한 대륙 간 컨테이너 수송 실험을 성공적으로 완료했다.

ZIM의 기술에 대해서 조금 더 자세히 살펴보도록 하자.

이스라엘의 컨테이너 운송 회사인 ZIM은 Sparx Logistics, Wave와의 협력을 통하여 블록체인을 사용한 선하 증권(bills of landing)을 발급하고, 이를 통해 중국에서 캐나다까지 컨테이너 해상 운송에 성공했다고 2017년 11월 말에 발표했다.

이스라엘 Haifa에 소재한 ZIM은 1945년에 창업되었고 약 34만 4천 TEU 분량의 컨테이너를 소화할 수 있는 역량을 보유한 세계 20위 운송 업체로, ZIM이 진행한 블록체인 실험은 컨테이너 운송과 관련한 모든 관계자들이 'Wave'라는 앱을 이용하여 전자 문서를 발급·전달·수신하는 방식으로 진행된다.

Wave라는 블록체인 선하 증권 플랫폼은 분산된 원장을 각 공급사슬 관계자들에게 공개할 뿐 아니라, 분산된 네트워크를 통해 다양한 서류를 열람하고 이송 확인 및 관리할 수 있다.

32) 글로벌 물류기술 주간동향, 한국교통연구원, 2018.07.03

ZIM의 CIO인 Eyal Ben-Amram은 “아직 블록체인을 평가하는 단계이지만, 블록체인과 같은 미래적 기술과 발상이 산업을 보다 더 효율적이며 발전시킬 것으로 확신한다”고 언급하기도 했다.

4) 미국

미국 정부는 블록체인을 산업 전반에 적용하기 위해 다양한 법률 제정을 추진하고, 다수의 부처가 적극적으로 시범사업과 연구를 추진 중이다. 특히, 서비스를 위한 규제 연구를 강화하고 있다. 주정부 및 지방정부는 지방 경제 활성화, 투표, 의료 서비스, 공공 서비스 향상을 위해 블록체인 기술을 도입하여 산업경쟁력을 강화하고 있으며 미국의 글로벌 기업들인 아마존, 구글, IBM 등은 물류 및 유통, 은행, 의료, 금융 및 보안 분야 등에 블록체인 사업을 추진하고 있다.[33]

[표 3] 미국 주요기업 블록체인 추진 현황

분야	대표기업	주요내용
콘텐츠 저작권	코닥	블록체인 기반 저작권 보호 플랫폼 코닥원(KodakONE)을 활용, 플랫폼 내에서 거래 시 코닥코인으로 체결
	튠토큰 (Tune Token)	블록체인에 음원 저작권을 기록해 데이터베이스화하고 해당 음원을 활용 가능
물류/유통	월마트	2016년부터 IBM과 블록체인 기반 시스템 개발을 협업, 2017년 징동닷컴, IBM, 칭화대, 전자상거래기술연구소와 함께 세이프티 얼라이언스 설립
부동산	프로피 (Propy)	이더리움을 기반으로 부동산 거래를 획기적으로 줄이고 안전한 거래가 가능
	유비트커티 (Ubitquity)	블록체인 기반의 부동산 계약 보관 플랫폼으로 부동산 거래의 고질적인 문제를 해결할 것으로 기대
의료	IBM	미국 FDA와 블록체인 기술을 활용하여 환자 데이터를 안전하게 공유하기 위해 공동개발 계약을 체결하고 개발 중이며, 임상시험, 게놈데이터, 사물인터넷(IoT)의 보건데이터 등을 포함한 환자 데이터를 연구
	인텔	DNA와 RNA에 있는 핵염기 순서를 규명하고 저장하는 플랫폼인 시퀀스마이닝플래폼(SMP) 기술 특허를 등록
금융/보험	나스닥	비트코인 및 암호화폐를 도입하였으며, 엔터프라이즈 블록체인 솔루션을 개발하는 벤처 스타트업에 상당한 금액을 투자
	연방준비은행	IBM과 함께 블록체인을 응용한 지급 결제 시스템을 개발

〈자료〉 국방통합데이터센터 작성

33) 삼정 KPMG 경제연구원/ 블록체인과 물류/유통 혁신, 그리고 디지털 무역

또한, 미국 국토안보부(Department of Homeland Security, DHS)가 물류 통관 업무에 블록체인 기술을 적극 활용하여 디지털 방식으로 자격 증명을 발급할 예정인데 팩톰은 시스템 구축을 위해 일단 '인증 및 라이선스 위조, 복제 방지를 위한 크로스 블록체인 기술 적용 프로젝트를 진행, 발급된 자격 증명의 출처를 보장하는 공개시스템을 통해 원자재 수입 추적 관련 인증서 및 라이선스를 관리하는 플랫폼을 개발할 예정이다.

CBP는 지난 2018년 북미자유무역협정(NAFTA) 및 중미자유무역협정(CAFTA-DR)에 따라 관세 혜택을 받을 수 있는 상품의 원산지 증명을 위한 블록체인 사용 가능성 여부를 검증한 바 있으며, 2019년에는 지식재산권에 초점을 맞춘 두 번째 검증 작업도 완료하여 팩톰의 블록체인 시스템을 HS 코드 의존도를 낮추는 물품신고 및 납세신고 절차의 역설계(reverse engineering) 등 세관 물품신고를 위한 구매 주문 관련 사항과, 원유 생산지로부터 수입을 위한 선적 추적과 관련된 개념증명에도 적용할 계획이다.[34]

34) 한국교통연구원

나. 국내 동향

국내 해운·항만·물류업계, 고려해운, 남성해운 SM상선, 현대상선 등 컨테이너선사, 삼성 SDS 등 물류기업, 항만공사, KL-NET 등 블록체인 도입·적용에 관심이 고조되기 시작했다.

현대상선은 2017년 초부터 사내 IT 실무자들을 중심으로 블록체인 기술에 대한 자체 연구에 착수했으며, 남성해운은 블록체인 파일럿 테스트를 위해 머스크의 협력사인 IBM과 협의에 들어간 것으로 알려져 있다.

부산항만공사도 블록체인 도입을 위한 태스크포스 팀을 꾸려 시스템 효과를 파악 중이며 2017년 4월 21일, IBM 주최로 현대상선.SM상선.고려해운, 부산항만공사, 케이엘넷 및 해양수산부, 한국해양수산개발원이 참여한 가운데 설명회를 개최했다.

삼성 SDS는 2015년 블록체인 기술개발 전담 조직을 신설해 최근 블록체인 신분증 및 자금 결제 서비스를 개발했으며, 향후 IBM과 함께 사물인터넷(IoT)에 블록체인 기술을 접목하는 R&D 사업을 진행할 예정이다. 또한, 관세청은 2017년 12월 세계 최초로 블록체인을 수출통관(해운물류) 업무에 적용하는데 성공했다고 공식 발표했다.

관세청은 시범사업에서 수출화물에 대한 수출신고와 적하목록 제출절차에 블록체인 기술을 적용하는 게 가능한지 여부를 집중적으로 검증했다. 그 결과, '분산원장의 공유'라는 블록체인의 장점을 확인할 수 있었다.

수출기업이 수출통관 첨부서류를 블록체인망에 공유하면 위·변조가 불가능해짐에 따라 정보의 신뢰성과 정확성이 확보되어 서류제출 절차가 원천적으로 생략된다. 또한, 데이터의 재입력이 불필요하게 돼 신고서 오류정정이 사라지는 등 수출 통관·물류 절차의 일대 혁신이 가능해질 것으로 기대된다.

관세청은 기술검증 결과를 바탕으로 올해부터 블록체인 기반 기술을 수출통관·물류 서비스와 FTA 국가간 원산지증명서 자료교환(e-C/O) 서비스 등 관세 행정에 시범 적용할 계획이다. 아울러 일련의 시범사업을 통해 수출 통관·물류 업무의 실효성을 재검증하고 그 결과를 반영해 통관 전 분야에 연차적으로 확대하는 한편 해외 세관과도 연계를 추진할 예정이다.

자료 : 관세청

[그림 43] 수출 통관·물류 서비스 블록체인망 개념도

한편, 플랫폼 사업자인 삼성SDS는 화주, 선사, 세관, 은행 등 물류 관련자들이 선화증권(B/L)과 신용장(L/C) 등 물류 관련 서류를 블록체인 기술 기반으로 공유함으로써 수출입 관련 서류 위·변조를 차단하고 발급절차를 간소화 할 수 있었다고 밝혔다.

선하증권 등 물류와 관련된 업무문서와 화물 위치정보 등을 관계자 모두에게 실시간으로 공유함으로써 업무 처리가 빨라지는 결과도 얻었다. 일례로 해운선사, 내륙운송사, 터미널 운영사 등 해상운송과 관련된 다양한 기업과 기관에서 이전에는 종이문서, 이메일 등을 통해 개별적으로 전달했으나 블록체인 기술을 적용함으로써 실시간 정보 공유로 정확도와 신뢰성이 높아진 것으로 나타났다.

특히, 신선식품 해상 운송 시 사물인터넷(IoT) 기기를 통해 위치, 온도, 습도, 진동 등 각종 정보를 블록체인에 저장하게 되는데 이렇게 저장된 정보는 위·변조가 불가능해 운송과정에서 문제가 발생할 경우 책임소재를 명확히 할 수 있어 금융기관의 정확한 해상 보험료 산정을 가능하게 해 줄 것으로 기대된다.

해운물류 블록체인 컨소시엄 참여기관(38개사)

기관 유형	기 관 명
정부기관(6)	관세청, 해양수산부, 한국해양수산개발원, 인천항만공사, 부산항만공사, 부산신항만주식회사
플랫폼 사업자(1)	삼성SDS
화주(1)	서린상사
선사(7)	현대상선, 남성해운, 고려해운, 흥아해운, SM상선, 팬오션, 장금상선
터미널 운영사(4)	한진인천컨테이너터미널, 선광신컨테이너터미널, CJ대한통운, 한진부산컨테이너터미널
운송사(3)	KCTC, 하나로TNS, 에이치앤피로지스
은행(3)	KEB하나은행, IBK기업은행, 신한은행
VAN사(3)	KTNET, KCNET, KLNET
IT업체(3)	아마존, 싸이버로지텍, 현대U&I
보험사(3)	AIG손해보험, 현대해상, 삼성화재해상보험
IoT장비 제공업체(1)	에스위너스
해외 통관(3)	Bondex Logistics(중국), Port of Rotterdam(네덜란드), Vietnam Customs(베트남)

[그림 44] 해운물류 블록체인 컨소시엄 참여기관(38개사)

2020년 코로나는 DID(블록체인 분산 아이디)의 재발견을 이끌었다. DID는 블록체인 기반의 탈중앙화 신분 인증 기술이며 개인의 신원 정보를 사용자 단말기와 외부 블록체인에 기록하고 필요할 때 원하는 정보만 선별적으로 제시할 수 있는 특징으로 주목받았다. 특히 구조적으로 조작이나 도용이 불가능하기 때문에 높은 신뢰성도 함께 인정받고 있는데 이는 비대면 중심 사회가 열리면서 DID가 다시 주목받은 이유이기도 하다.

그동안 공공기관용 서류·자격증 재발급, 계약 처리 등을 위해선 기관을 직접 방문해야 하는 일이 적지 않았으나 DID는 이처럼 당연한 것으로 여겨졌던 대면 활동을 비대면으로 바꾸는 데 일조한다.

서울시의 경우 '서울 일자리 전자근로계약 시스템'을 새롭게 구축했다고 밝히기도 했다. 근로계약서 체결 및 보관, 이력 관리 등 수기 기록과 대면 위주로 처리됐던 과정들이 블록체인을 통해 온라인 비대면 기반으로 전환한 것이다.

부산시도 올해 코인플러그와 손잡고 DID 기반 부산 블록체인 통합 서비스 'B PASS'를 도입했다. 이를 통해 부산시민들은 간단한 DID 발급을 통해 부산시민카드, 시청 방문증, 도서관 회원증 등을 비 대면으로 발급받을 수 있게 됐고, 향후 재난지원금 등 정부에서 제공하는 각종 복지 혜택을 누릴 때도 대면 접수의 필요성이 크게 줄어들 전망이다.

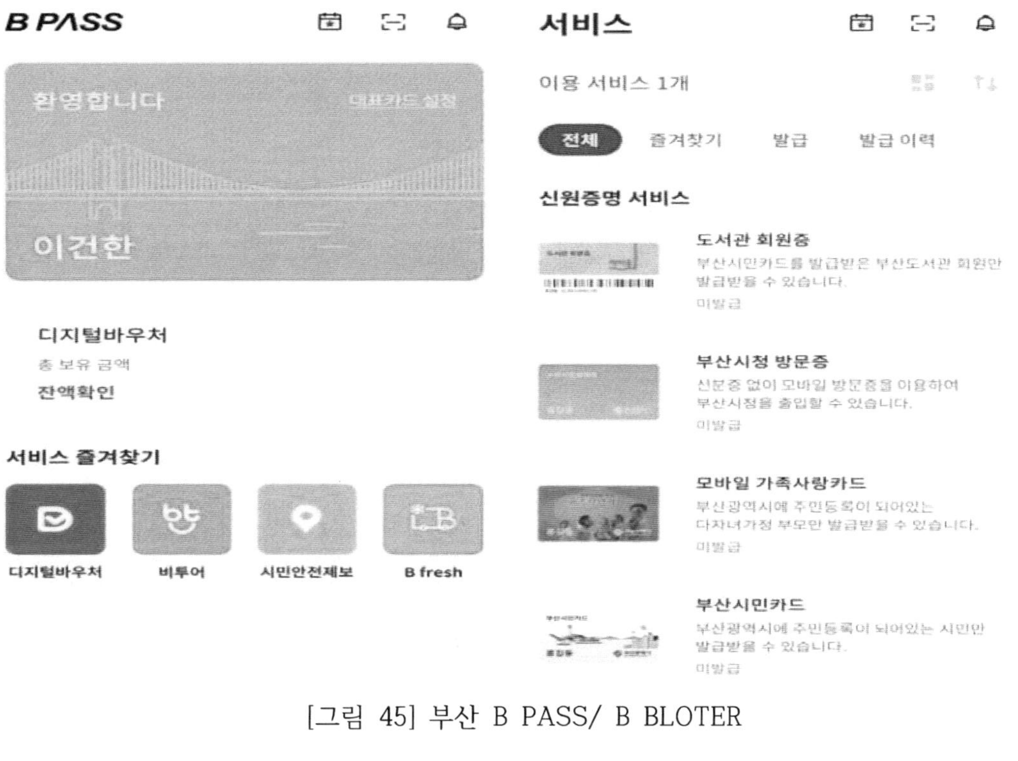

[그림 45] 부산 B PASS/ B BLOTER

VI. 블록체인 물류 사례

6. 블록체인 물류 사례[35)]

가. 국외 사례

1) 월마트 중국매장

[그림 43] 월마트

중국에서는 2008년 멜라닌 분유 파동을 시작으로 플라스틱 쌀, 가짜 계란, 석회 밀가루, 시멘트 호두 등 다수의 식품안전사고가 발생해 왔다. 중국경제망이 2012년 실시한 자국 식품에 대한 신뢰도 조사에 따르면 응답자의 25.2%가 자국 식품을 신뢰하지 않는다고 응답하는 등 중국 국민의 자국 식품에 대한 신뢰도는 현저히 낮은 모습을 보였다.

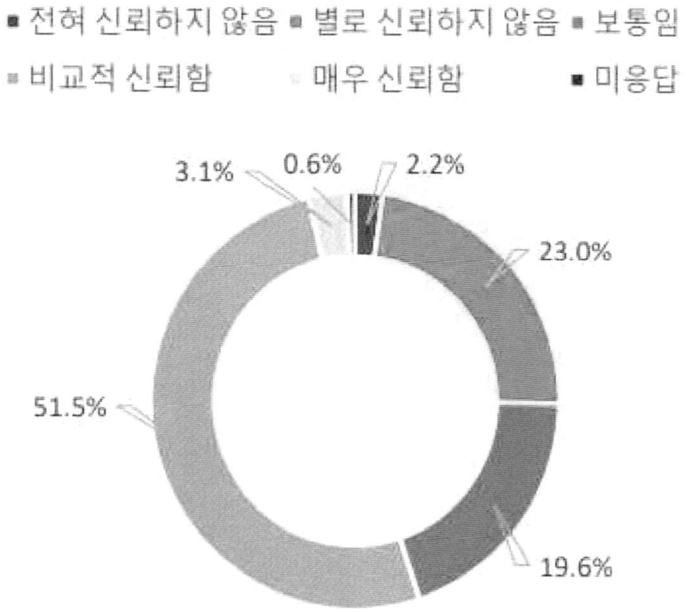

36)

[그림 44] 중국의 자국 식품에 대한 신뢰도 조사 결과

35) 블록체인과 물류/유통 혁신, 그리고 디지털 무역, 삼정 KPMG, 2018.06
36) [출처] 중국경제망, 2012년 기준

최근 중국 정부의 강경한 식품안전규제 등으로 인해 과거와 같은 대형 식품 안전사고는 줄어들었지만, 여전히 중국 국민들은 해외에서 식품을 직접 배송해서 먹는 등 자국 식품에 대한 불신은 지속되고 있는 추세이다.

이러한 문제를 인식한 월마트는 유통과정상에 블록체인 기술을 도입하여 제품의 제조 과정과 유통 과정의 정보를 소비자에게 제공하는 서비스를 시작했다. 이를 위해서 2017년 12월, 월마트는 징동닷컴(JD.com)과 IBM, 칭화대 (Tsinghua University), 전자상거래기술연구소 (NELECT) 와 함께 블록체인을 통해 식품 공급망 전반에 투명성과 안전성을 제고하는 세이프티 얼라이언스(Safety Alliance)를 설립했다.

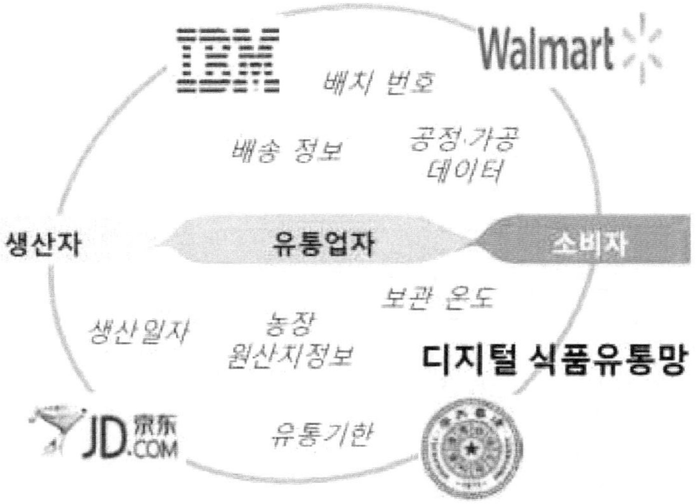

37)

[그림 45] 월마트의 세이프티 얼라이언스

월마트 세이프티 얼라이언스의 궁극적인 목표는 중국 전역으로 유통되고 있는 식품 중 오염된 식품들의 위치를 파악하는 것이다. 즉, 식품 안전에 영향을 주는 핵심요소를 유통 과정상의 오염과 식품이 유발한 질병 확산 등으로 보고, 관련한 정보에 대해 실시간으로 대응 및 추적하겠다고 밝혔다.

과거에는 식품이력을 확인하기까지 길게는 수주가 걸리는데다가 정확한 식품오염 유통 지역이 어딘지, 어떤 질병을 유발했는지 등을 확인하기 어려웠다. 이에 월마트는 블록체인을 도입해 식품유통망 문제를 해결할 계획이다.

37) 블록체인과 물류/유통 혁신, 그리고 디지털 무역, 삼정 KPMG, 2018.06

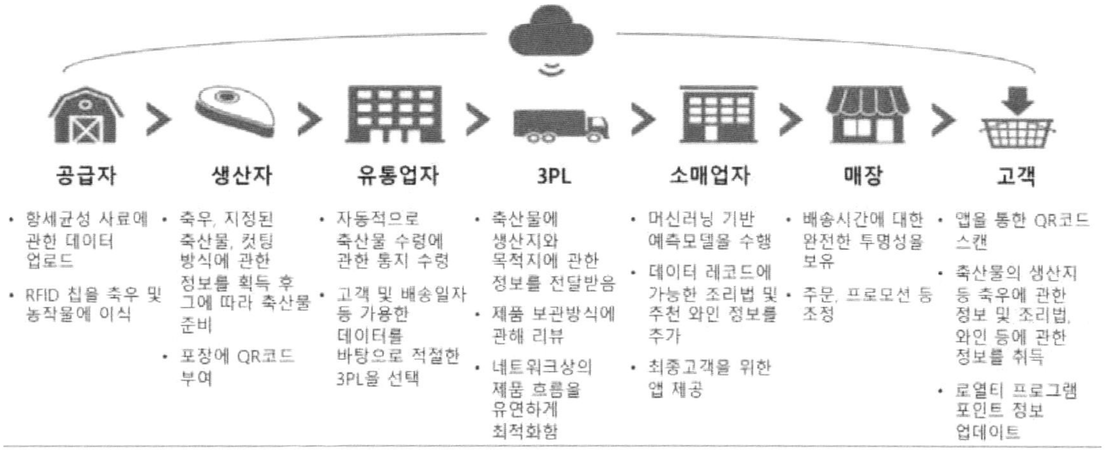

[그림 46] 블록체인이 적용된 월마트 물류 벨류체인상의 정보 투명성

38)

월마트는 세이프티 얼라이언스를 통해 식품 유통에 인공지능(AI), 블록체인, 빅데이터 등의 신기술을 테스트하고, 징동닷컴의 전문 지식을 활용하여 온·오프라인에서 협력을 다지고 있다.

2017년 8 월 IBM과 월마트가 식품안전을 강화하기 위한 새로운 컨소시엄을 발표한 이후, IBM은 블록체인 식품안전 전문 지식을 중국에 제공하고 있다. 또한 IBM, 월마트 및 칭화대는 블록체인을 사용하여 중국의 돼지고기와 미국의 망고를 비롯한 식품 공급 품목을 공급자로부터 매장 진열대까지 실시간으로 추적되는 공급 체인을 통해 이동시키고 있다.

최근 월마트의 조사에 따르면 블록체인 적용을 통해 농장에서 상점으로 이동하는 유통 과정을 추적하는데 걸리는 시간을 과거 수 일 또는 수 주에서 단 2 초로 단축시켰다. 월마트는 테스트 베드라 할 수 있는 이번 중국 사업을 통해 블록체인 기술과 관련한 리콜 및 검증 등의 프로세스를 개선하고자 한다고 밝혔다.

38) 블록체인과 물류/유통 혁신, 그리고 디지털 무역, 삼정 KPMG, 2018.06

2) 중국 알리바바

알리바바는 2013년 물류 네트워크인 '차이냐오 네트워크(이하 차이냐오)'를 설립했다. 빅데이터 분석 시스템을 기반으로 재고, 과거 판매량, 소비 패턴 등을 분석해 지역 물류센터에 제품을 미리 마련해두는 스마트 물류 시스템을 도입한 것이다.

알리바바는 스마트 물류 플랫폼을 제공하지만 직접 물류 인프라에 투자하거나 배송망을 구축하지 않고, '차이냐오 연맹'을 만들어 다수의 물류 업체들과 협력을 통해 중국 및 해외로 제품을 배송하는 '제3자 물류' 방식을 채택했다.

이 시스템은 2017년 기준 일평균 데이터 처리 16조 건, 일평균 물류정보 접수 15억 건 이상, 배송 정확도 99% 이상, 전 세계 224개국 및 국내 2,700여 지역 배송 가능, 협력업체 3,000여 곳 등 명실상부 중국 최대 물류 플랫폼으로 부상했다.

알리바바 그룹 회장은 2018 글로벌 스마트 물류 포럼에서 "스마트 물류 네트워크의 기술적 토대 구축을 위해 1000억 위안 이상을 투자할 것이며, 일평균 10억 건 주문 처리 목표를 위한 탄탄한 인프라 구축에 힘쓸 것"이라고 밝힌 바 있고 이후 2018년 2월 차이냐오는 '자가 물류를 하지 않는다'는 원칙을 깨고 직접 '먀오디택배'를 설립했다.

이는 차이냐오가 가진 온라인 플랫폼의 한계를 극복하고 자사의 티몰, 허마센셩의 라스트 마일 딜리버리 서비스 차별화를 꾀한 투자전략으로 볼 수 있다. [39]

또한, 2019년 말 20억 달러의 자금으로 인수한 수입 e-커머스 플랫폼 코알라(Koala)가 블록체인 QR 코드와 위조방지 지문서명 기능이 추가된 블록체인 추적 시스템을 도입하기도 했다.

39) 중국 스마트 물류 시장 동향 분석 2019/ 산업뉴스

중국 현지 매체 Techweb에 따르면, 2019년 알리바바는 글로벌 블록체인 특허 총 2344개를 보유하고 있으며 공개한 신천 특허는 1505개로 집계되었다. 알리바바가 글로벌 블록체인 특허 순위에서 1위를 차지한 것이다.

2020년, 알리바바는 브라질에서도 블록체인 금융서비스, 보험, 결제 등을 포함한 블록체인 시스템의 특허를 등록하며 블록체인 금융 시스템 특허에는 부동산 서비스, 신용카드 결제 시스템, 외화 환전 서비스, 통화 거래, 블록체인을 통한 금융거래 등도 포함된 것으로 알려졌다.

알리바바는 제품 생산에서 물류, 판매, 결제에 이르기까지 전자상거래의 전 과정에 걸쳐 자사 인터넷 쇼핑과 전자결제 서비스 알리페이에 블록체인 기술을 지속해서 확대하고 있다. 특히 최근에는 해외 송금 시스템까지 구축하면서 블록체인 기술 개발에 속도를 내고 있다.

[그래픽=김아랑 미술기자]

3) 머스크

[그림 49] 머스크

2018년 1월 A.P, 몰러-머스크(A.P. Moller Maersk)와 IBM은 블록체인 기술을 활용하여 국제 무역의 효율성과 안전성을 강화할 합작법인회사(조인트벤처, JV)를 설립할 계획을 밝혔다.

이들은 합작법인을 통해 글로벌 해운 생태계 전반에 적용할 수 있는 국제무역 디지털 플랫폼을 공동 개발·제공하고, 국경 및 무역 구간 화물 운송에 보다 단순화된 절차와 함께 투명성을 제고할 것이라고 했다.

머스크는 블록체인을 통한 글로벌 공급사슬의 총체적 전산화에 있어 크게 두 가지에 초점을 맞추고 있는데, 첫 번째는 운송 정보 파이프라인의 구축이다. 즉, 공급망 관리 관계자가 운송 건에 대한 정보를 실시간으로 안전하고 원활하게 교환할 수 있도록 엔드투엔드 공급망 가시성을 제공할 계획이다.

두 번째는, 페이퍼리스 무역이다. 즉, 거래 과정에서 필요한 모든 승인 절차가 블록체인 기반 스마트 계약으로 이뤄져 진행 속도를 높이고 오류를 줄이는 것을 목표로 하고 있다.

세계선사협의회(WSC)에 따르면 현재 연간 해상운송 화물의 액수는 4조 달러 이상이며, 무역 관련 서류를 처리하는 비용이 실제 해상운송 비용의 5분의 1에 달하는 것으로 추정되고 있다. 결론적으로, 이 부분에 블록체인 기반 플랫폼을 사용하면, 최종 사용자가 조직의 경계를 넘어 문서를 제출, 확인, 승인할 수 있도록 서류 작업이 디지털화·자동화되고, 궁극적으로 통관과 화물 이동에 걸리는 시간과 비용을 절감될 수 있을 것으로 예측된다.

[그림 50] 물류운송 주체별 블록체인 도입 효과

머스크는 블록체인 기술을 통해 원격 컨테이너 관리(RCM, Remote Container Management) 시스템 또한 디지털화할 계획이다. 블록체인 기술은 컨테이너 추적에도 활용될 수 있다. 컨테이너가 이동하는 과정상에 존재하는 모든 주체에 분산형 거래장부를 설치하여, 컨테이너의 이동경로를 실시간으로 추적하게 되는 것이다.

과거에는 수작업과 문서를 통해 이를 수행했지만, 블록체인 기술을 활용하면 낮은 비용으로 왜곡 없이 컨테이너별 실시간 경로 및 과거 이동경로를 파악할 수 있게 된다. 2014년 기준으로 하나의 컨테이너를 동아프리카에서 유럽으로 해상 운송하는데 30개 이상의 기관과 200개 이상의 문서 처리 과정이 필요하였는데, 블록체인이 이 과정을 효율적으로 줄여줄 것으로 기대되고 있다.

머스크의 블록체인 기반 RCM 냉장 컨테이너 서비스는 물류 운송에 있어 독보적인 차별화를 가져다 줄 수 있으며, 특히 채소·과일 및 의약품 등 신선화물 운송에 획기적인 시스템으로 각광받고 있다. RCM을 적용하면 컨테이너 데이터가 위성을 통해 육지에 있는 사무실로 실시간 전송된다. 또한, 컨테이너 안의 온도가 너무 높으면 원격으로 낮출 수 있고, 문제가 감지되면 선박에 있는 엔지니어에게 연락해 문제를 바로 해결할 수도 있다.

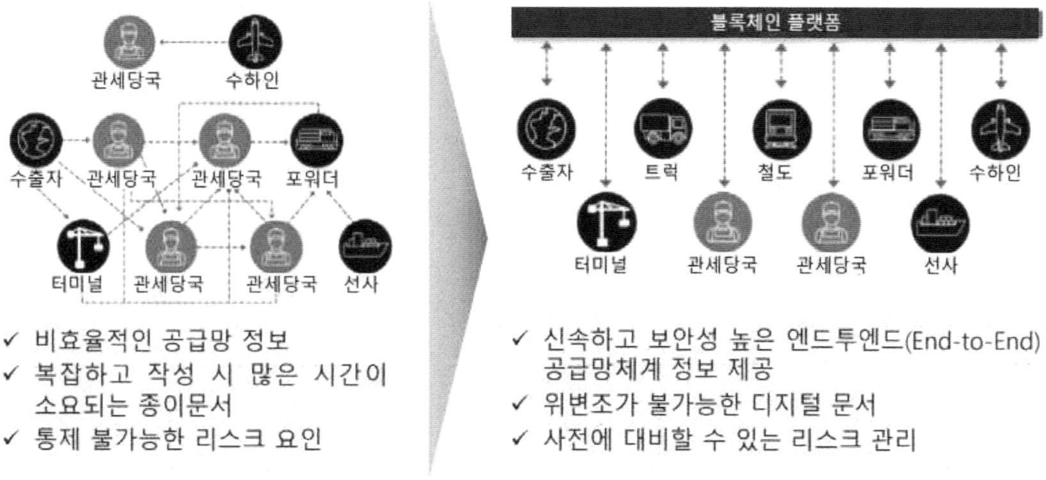

[그림 51] 머스크의 해운물류 블록체인 플랫폼 개요

4) Barclays

[그림 52] Barclays

영국의 바클레이스는 2016년 이스라엘 스타트업인 웨이브와 손잡고 무역금융거래에 필수인 신용장(LOC)을 블록체인 내에 기록해 관리하는 서비스를 만들어 첫 고객을 유치했다. 웨이브는 바클레이스 액셀러레이터 프로그램에 선정됐으며, 현재 바클레이스 무역 및 블록체인 팀과 협업해 무역금융에 이 같은 플랫폼을 제공했다.

바클레이스와 웨이브는 글로벌 낙농기업인 오르누아가 10만 달러 상당의 치즈와 버터를 세이셸 무역 회사에 수출하는 과정에서 블록체인에 신용장을 기록하는 방법으로 거래를 보장하는 역할을 했다.[40]

바클레이즈는 디지털 화폐 전송 및 블록체인 데이터 저장에 관한 두 건의 특허를 신청 했고, 미국 특허청(USPTO)은 이 두 개를 모두 개재했다.

첫 번째 특허는 공개 키 암호화폐 및 디지털 화폐 원장을 사용하여 거래의 유효성을 검사하고 기록하는 것뿐만 아니라 지불자와 수신자 두 사람의 신원을 안전하게 증명하는 지불자에서 수신자로의 디지털 화폐를 전송하는 시스템을 설명한다.

화폐 송금 외에 이 특허는 블록체인 시스템을 사용하여 데이터를 안전하고 개인적으로 처리하기 위한 광범위한 사용 사례를 계속해서 설명한다. 하나의 예로서 신용 상태와 보험 청구의 예를 사용하여 어떻게 청구와 증명이 블록체인에서 확인 될 수 있는지를 설명한다.

바클레이즈는 사물 인터넷(IoT) 품목과 같이 디지털 지갑이 할당될 수 있는 대상들 뿐 만 아니라 개인, 당국, 기업과 은행이 그러한 시스템의 잠재적 수혜자가 되는 것을 생각한다. 이 특허는 효율성을 극대화하고 데이터 검증을 쉽게 하기 위해 블록을 저장하는 해시 트리 구조(Merkle Tree Structure)를 사용하는 유익한 단계에 대해 설명한다.

40) 블록체인으로 무역하기, 英바클레이스 본격 시동, ZDNet Korea, 2016.09.21

두 번째 특허는 주요한 예로서 노우 유어 커스터머(KYC) 점검을 위한 개인 정보의 유효성을 이용하여, 특정 개체와 관련된 데이터와 청구를 저장하고 증명하는 것에 보다 좁은 의미로 관련된다.

바클레이즈는 또한 암호화폐 거래소를 위한 계좌를 개설한 최초의 영국 은행이며 2018년 3 월, 주요 미국 거래소 서비스 및 지갑 제공 업체인 코인베이스와(Coinbase)와 거래를 했다.[41]

41) 바클레이즈(Barclays), 미국 특허청에 디지털 화폐 및 블록 체인 관련 두 개의 특허 신청, 파이낸스 투데이, 2018.07.20

5) UPS

[그림 53] UPS

글로벌 물류·운송업체 UPS(United Parcel Service)가 전 세계 물류운송 추적 시스템에 블록체인 기술을 도입하는 내용의 특허를 신청했다.

미국특허청에 따르면 UPS는 블록체인 기술을 사용해 자사 운송수단에 선적된 상품의 이동 경로를 파악하는 기술 특허를 신청했다. 이는 보다 저렴하고 빠른 운송 서비스와 배송경로 정보를 파악하고자 하는 소비자 요구에 따라 국제 배송물을 추적하는데 새로운 시스템이 필요하다는 취지에서 시작된 프로젝트다.

특허청 홈페이지에 공개된 내용에 따르면, 해당 특허는 '자율 선택 시스템과 분산 운송 데이터베이스(Autonomous services selection system and distributed transportation database)'를 통해 블록체인 네트워크에 원산지, 목적지, 출하 매개변수 데이터를 저장하고 운송 계획을 생성해 선적을 추적하는 방식이다. 블록체인에 담긴 데이터를 1차와 2차로 구분해 이중으로 정보를 추적함으로써 정확도를 높였다.

또한 UPS 측은 이를 통해 비트코인 및 이더리움과 같은 암호화폐로 이용대금 지불이 가능하게 될 것이라고 덧붙였다. UPS는 2017년 물류운송 블록체인 컨소시엄에 가입했으며, 전 세계 규모의 물류 시스템을 개선하는 다양한 방법을 연구하고 있다. 작년에 50억 개 이상의 물류를 출하한 UPS는 약 540억 달러의 매출을 기록했다.[42]

42) 글로벌 운송업체 UPS, '블록체인 기반 물류 추적' 특허 출원, Tokenpost, 2018.08.21

6) 에버레저[43)]

[그림 54] 에버레저

에버레저는 2015년 4월 Lean Kemp에 의해 설립되었고 이후 보석 산업 거래의 투명성을 제고하기 위해 3년간 200만개 이상의 다이아몬드 디지털 지문을 블록체인 기술로 등록했다.

다이아몬드를 보관·유통하는 데 전 세계적으로 연간 500억 달러(약 54조 원)가 넘는 비용이 들어간다고 한다. 다시 말해 다이아몬드를 투명하게 유통·관리하기만 해도 연간 500억 달러가 절약되는 것이다.

이에 각각의 다이아몬드에 고유 아이디(ID)를 부여해 투명하게 관리하는 인증 시스템이 2002년 킴벌리 프로세스(Kimberley Process)에서 출시됐다. 여기에는 전 세계 다이아몬드 생산량의 99.8%를 차지하는 국가들과 다이아몬드를 유통·소비하는 81개국이 참여했다. 이듬해 이들 국가 및 기업들은 킴벌리 프로세스 인증 시스템을 거친 다이아몬드만 유통한다는 조항에 합의했다.

그런데 다이아몬드 인증서가 종이란 사실이 큰 문제가 되기 시작했다. 종이로 된 인증서는 위·변조가 어렵지 않다. 즉, 인증되지 않은 다이아몬드가 유통될 가능성이 여전히 존재하는 것이다.

이를 해결하기 위해 에버레저는 전 세계 120만 개가 넘는 다이아몬드 각각의 진품 인증서와 일련번호, 색, 투명도, 컷, 캐럿, 크기 등 제품 세부 사항에 대한 정보를 IBM이 제공하는 블록체인에 등록했다.

이때, 다이아몬드가 광산에서 채굴될 때부터 은행, 감정 회사, 소비자 등에게 전달될 때까지 모든 거래를 블록체인에 기록한다. 그리고 블록체인 네트워크 참여자들이 이 정보를 공유한다. 다이아몬드 정보의 위·변조가 원천적으로 방지되는 것이다. 에버레저는 여기서 더 나아가 와인과 같은 다른 고가품의 세계 유통망을 혁신적으로 변화시키는 작업을 계획하고 있다고 한다.

43) 생활 속 블록체인 어디까지 왔나, 신동아, 2018.04.29

또한 에버레저는 고가자산 인증서 위조 문제 또는 출처 위조, 허위 보험사고 보고서 등 사기 문제와 전쟁지역 등 UN지정 분쟁지역에서 채굴된 다이아몬드의 거래를 원천 봉쇄할 수 있을 것으로 기대하고 있다.

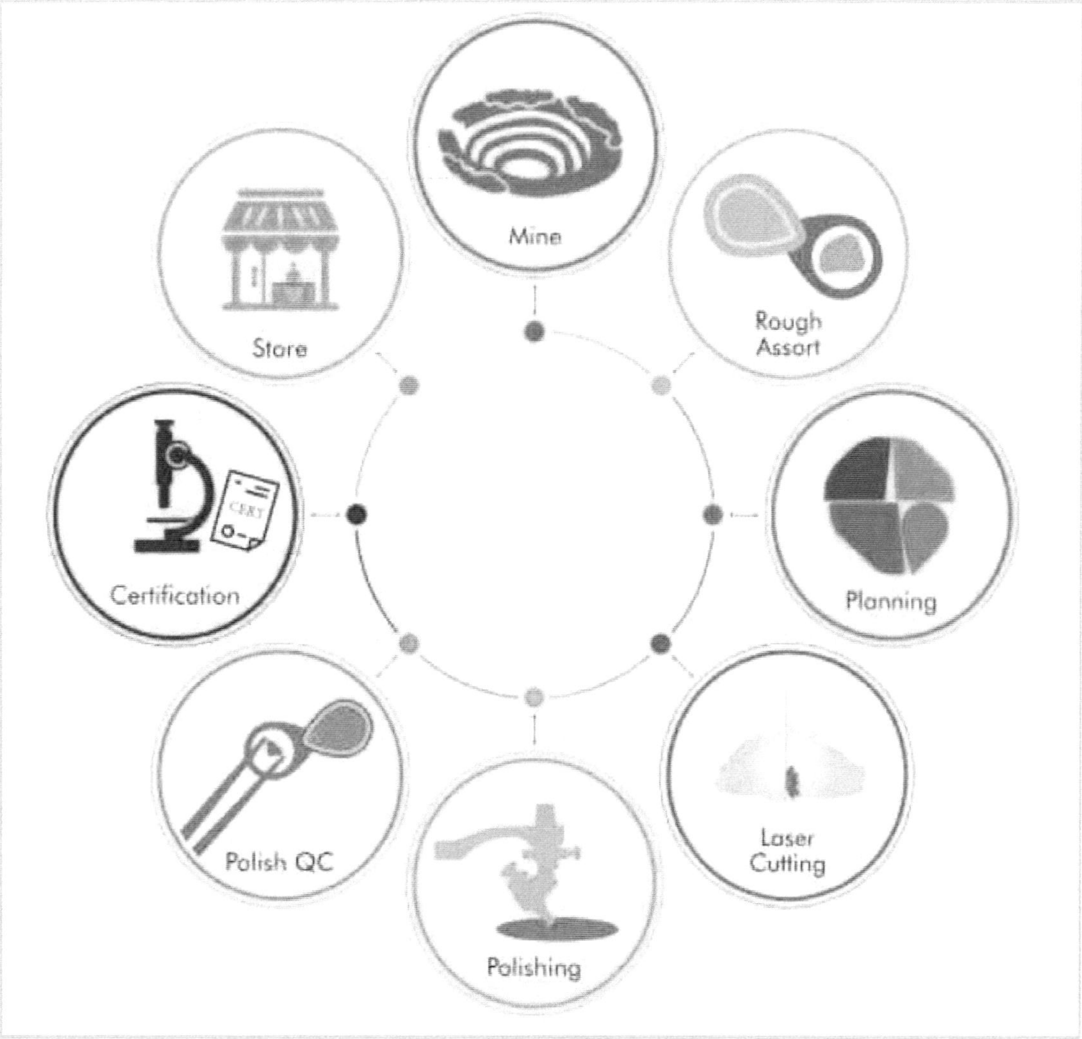

[그림 55] 에버레저의 응용 사례

7) Provenance

PROVENANCE

[그림 56] Provenance

영국의 B2B 소프트웨어 스타트업인 Provenance는 2016년 5월 일본에 공급되는 인도네시아산 참치 2종의 공급사슬에 블록체인을 적용하는 프로젝트의 베타버전 테스트를 수행했다.

Provenance의 기술 동작방식은 다음과 같다. 먼저, 어부는 참치 어획 시 SMS 문자를 전송하여 문자 1건 당 영구적이고 고유한 어획 기록을 등록함으로써 새로운 토큰을 발행한다. 이후 어부가 발행한 토큰은 어부와 공급자 간의 물리적 거래가 성사됨과 동시에 블록체인 시스템에서 어획 기록과 함께 공급자에게 전달되며, 이 때 물고기의 소유권이 이전된다. 또한, 어부의 신원 및 공급 거래 기록을 블록체인 시스템에 영구히 저장된다.

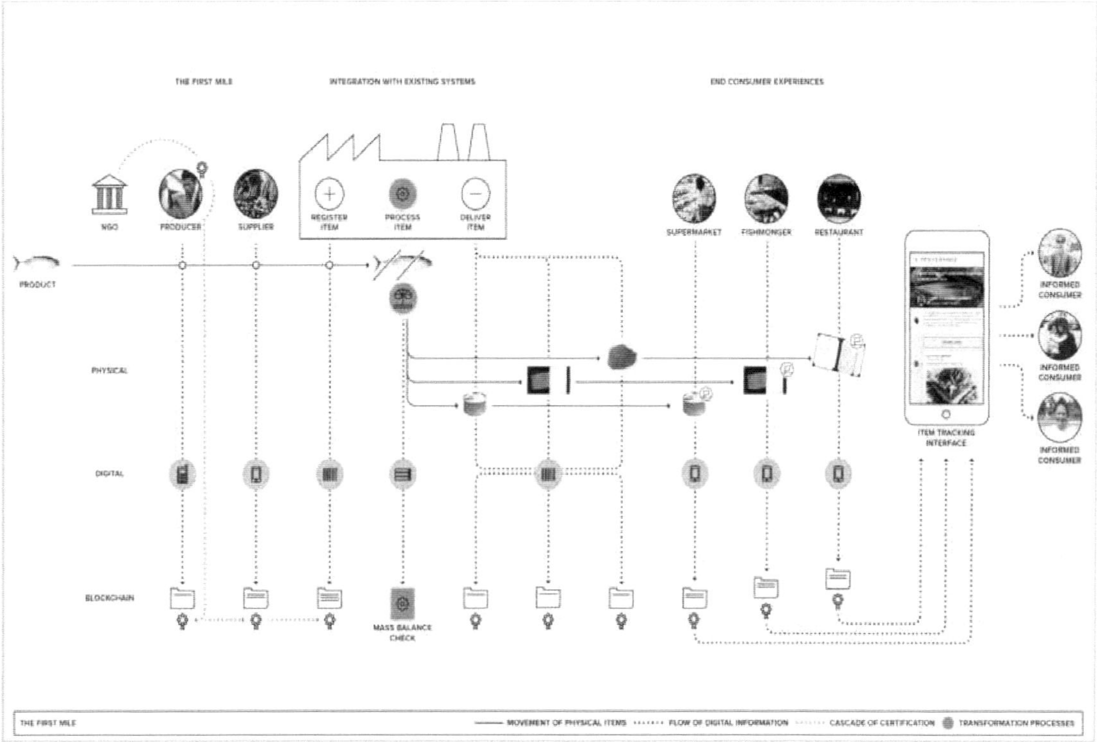

[그림 57] Provenance의 참치 공급망 추적 과정

Provenance는 블록체인 기술이 중앙집중적 공급사슬관리 시스템이 없이 강력하고 안전한 데이터 생성 및 추적을 가능하게 함으로써 아시아 수산 유통망의 패러다임을 바꿀 것으로 기대하고 있다.

현재까지 Provenance는 글로벌 식품 유통망의 신뢰/투명성 제고, 아시아 지역 노동 착취 근절, 식품 인증의 디지털화, 블록체인 기반 거래 증명에 대한 테스트를 수행하고 있으며 향후 커피, 섬유, 재활용품 등의 공급사슬로 사업을 확장할 예정이다.

나. 국내 사례

1) 삼성 SDS

[그림 58] 삼성 SDS

삼성SDS는 최근 네덜란드 3대 은행의 하나인 ABN AMRO 및 유럽최대 물동량의 로테르담 항만공사와 블록체인 기술 기반 해운물류 사업을 위한 협약을 체결하고 글로벌 블록체인 사업 강화에 적극적으로 나서고 있다.

삼성SDS는 로테르담 항만공사의 해운물류 사업에 블록체인 기술을 적용하기 위해 자사 블록체인 플랫폼 넥스레저(Nexledger)를 ABN AMRO의 블록체인 플랫폼 코다(Corda)와 연계하는 과 연계하는 시범 프로젝트를 진행하고 있다.

만약, 아시아에서 출발해 로테르담 항에 도착하는 물동량을 대상으로 블록체인 기술을 적용하는 이번 시범 프로젝트가 완료되면 수·출입 대금 확인 등 금융거래 간소화, 수·출입 관련 서류의 실시간 공유, 서류 위·변조 차단 등이 가능해진다.

특히 이번 시범프로젝트는 삼성SDS의 블록체인 플랫폼을 금융거래에 특화된 ABN AMRO의 블록체인 플랫폼과 연계함으로써 이기종 플랫폼 간 호환성을 검증하는 것이 핵심이라고 할 수 있다.[44]

44) 삼성SDS 블록체인 플랫폼, 유럽 해운물류 시장 공략한다, IT 조선, 2018.10.21

2) SK C&C[45]

[그림 59] SK C&C

2017년 5월, 국내 ICT 기업인 SK㈜ C&C가 국내외 선사들을 위한 '블록체인 물류 서비스' 개발 사실을 알리면서 국내 물류시장도 본격적인 '블록체인 물류시대'를 맞게 됐다. 이에 앞서 SK㈜ C&C는 한국발~상해착 컨테이너 화물을 대상으로 '블록체인 물류 서비스'의 시범 적용 테스트까지 마쳤다.

기존 방식은 물류 데이터를 중앙 집중형 서버에 기록·보관하는 것이다. 즉, 해운사나 육상 운송 사업자별로 자체 시스템을 사일로(Silo)로 구축·운영하고 있어 중간에 선사나 운송수단이 바뀌면 물류 정보 및 물류 관리 상태는 모두 새롭게 확인·입력해야 한다. 따라서 화물 이동 중에 누군가 물류 정보와 관리 상태를 허위로 적발이 어려워 화물에 피해가 발생해도 책임 소재를 가리기가 쉽지 않았다.

반면, SK㈜ C&C의 '블록체인 물류 서비스'는 선주·육상운송업자·화주 등 물류 관계자 모두가 개인 간(P2P) 네트워크로 물류 정보를 전달받아 공유·관리하는 방식이다. 국내 육상에서는 SK텔레콤의 사물인터넷(IoT) 전용망인 로라(LoRa)망을 활용해 컨테이너 화물 위치 추적 및 관리 체제를 구현했으며, 해상에서는 해상 운송 중 상태 정보를 수집했다가 항구 도착 시 정보를 일괄 공유하는 방식으로 진행된다.

'블록체인 물류 서비스'는 화주들이 자신의 화물을 추적하고, 관리 상황을 실시간으로 점검하며 운송 중 관리 부실로 발생할 수 있는 과실에 대한 실시간 파악과 대처를 지원한다. 이를 위해 SK㈜ C&C는 선하증권(B/L), 신용장(L/C)과 같은 각종 거래원장을 블록체인에 등록하여 원본임을 보장하고 안전하게 유통할 수 있는 구조를 개발했다.

45) Part 3. 블록체인 국내 물류 적용 사례, 물류신문, 2018.02.26

이 서비스의 가장 큰 특징은 물류 사물인터넷(IoT) 기술과 블록체인 기술을 연계해 원천 데이터의 신뢰성을 확보하고 화물의 위치와 상태에 대한 투명한 관리를 가능케 한다는 점이다.

컨테이너 화물의 위치 정보는 물론 컨테이너의 온도·습도의 관리 정보가 인위적 개입 가능성을 차단하면서 자동으로 수집되고 물류 관계자 모두에게 실시간으로 공유된다. 이렇게 되면 화물 운송 수단이 육상에서 해상, 해상에서 육상으로 바뀌더라도 화물 내용과 상태를 확인하고 새롭게 등록할 필요 없이 데이터의 내용이 그대로 유지된다. 물류 업무 효율화에 따른 운송 시간 단축과 비용 절감 효과를 거둘 수 있게 된 것이다.

3) 현대 글로비스

현대글로비스는 한국인터넷진흥원(KISA)이 공모한 2019 블록체인 민간주도 국민 프로젝트의 우선사업대상자로 선정되었다. 과학기술정보통신부와 관련 업계에 따르면 한국인터넷진흥원(KISA)은 서울 세종로 서울청사에서 블록체인 민간주도 국민 프로젝트 상위 3개 과제(사업자) 선정을 위한 발표 평가를 비공개로 진행한 바 있다.

이 프로젝트는 국민들이 블록체인 기술을 직접 체감할 수 있고, 산업 전반에서 블록체인 활용 수요를 이끄는 것이 주목적으로 하였다. 현대글로비스는 현대차그룹 IT 전문기업 현대 오토에버와 블록체인 기술기업 블로코 등과 손잡고 블록체인 기반의 중고차 생애관리 서비스를 개발 중이다.

중고 차량 시세정보 등의 데이터 정보는 물론 범퍼 교환 등 사고 이력, 판매자 평판정보 등을 블록체인에 올려 위·변조를 방지한다는 내용. 이를 토대로 중고차 시세 예측 및 허위 매물 판독 등의 파생 서비스도 만들 방침이다.

이는 중고차의 정기검사결과 및 정비 이력 등을 블록체인으로 관리함으로써 그간 중고차 시장의 이슈였던 판매자와 구매자 간 정보 비대칭 문제가 해소될 것으로 기대된다.

현대 오토에버가 중고차 매매 서비스를 위해 활용하는 블록체인은 블로코의 퍼블릭 블록체인 아르고(Aergo)에도 앵커링(외부 블록체인에도 데이터를 함께 기록하는 행위)해 데이터 신뢰성을 한층 높였다. 향후 토큰 이코노미 적용이 가능해 확장성도 염두에 뒀다는 설명이 뒤따랐다.

특히 중고차 사고 이력 조회 서비스는 증강현실(AR) 기반으로 구현돼 소비자 친화력을 크게 증진시켰다. 중고차를 스마트폰이나 태블릿PC 애플리케이션(응용프로그램)으로 찍으면 화면상에서 자동차의 어느 부분에 교환 이력이 있는지 표시해주는 식이다.

현대 글로비스는 블록체인 기반 중고 차량 매매 플랫폼 구축 이후 최종적으로는 차량 생애주기 관리 서비스까지 개발할 예정이라고 밝히며 현재 보유 정보는 차량의 물

류 부분인데 앞으로 커버 범위를 제조 정비 부품 판매 모빌리티까지 확장할 수 있는 방안을 모색할 것이라고 전했다. [46]

46) 블록체인 중고차 거래서비스 개발/한경닷컴

VII. 결론

7. 결론[47)]

① 해운·물류사는 블록체인 시스템의 '구축'과 '활용' 중 전략적 선택 필요하다.

국적 선사 및 물류사는 글로벌 선사 및 IT기업이 주도하는 해운·물류 블록체인 시스템에 참여하여 이를 즉시 활용하거나 국내 IT, 해운기업이 주도하는 컨소시엄에 참여하여 기술 검증(Proof of Concept, POC)을 통한 내부적인 역량을 강화하는 방안을 선택할 수 있다.

현재까지는 다양한 블록체인 시스템이 소규모로 산재되어 있어 어떠한 시스템이 시장 주도권을 잡을지 알 수 없다. 또한, 컨테이너 선사 중심의 해운·물류 블록체인 시스템에서 국내 선사의 역량만으로 시장을 주도하는 것을 사실상 기대하기 힘든 것이 사실이다.

따라서 현재 국내 IT기업, 항만 운영사, 금융기업이 중심이 된 현재의 컨소시엄에서 국내외 다양한 기업이 참여할 수 있는 생태계를 마련하는 것이 보다 중요하며, 이를 통해 내부적인 역량 축적과 동시에 시장 주도권을 잡기위한 노력이 필요하다.

최종적으로는 블록체인 시장을 주도하지 못하더라도 전략적으로 유리한 시스템에 가입하여 실익을 챙기는 방법도 고려할 수 있다.

② 블록체인 의사결정에 대한 통합적 의견 수립을 위한 협의체 구성 필요

현재 글로벌 선사들은 설명회 등을 통해 국내외 선사 및 물류기업에 대한 가입을 유도하고 있으며 이에 국내 해운·물류기업들은 가입에 대한 검토 중이나 관련 정보 등이 공유되지 않아 판단에 어려움을 겪고 있다.

이에 선사뿐만 아니라 정부, IT기업 등이 포함된 통합적인 협의체를 구성하여 다양한 분야에서의 정보를 수집하고 정책결정에 활용할 수 있도록 해야 한다. 또한, 향후 다른 시스템과의 통합, 가입을 위해서라도 일단 국내 기업의 통합된 목소리를 낼 수 있는 협의체가 필요하다.

47) 블록체인의 확산과 해운·물류분야의 대응, KMI 동향분석, 2019.01

③ 법정 계획에 블록체인 기술 개발 지원 및 도입 반영이 필요

우리 정부의 경우, 해운산업장기발전계획, 국가물류기본계획 등 관련 법정계획에 블록체인 기술 개발 지원 및 도입이 반영되어있지 않다. 2016년 8월 공시된 「국가물류기본계획(2016~2025)」에도 블록체인 관련 사항은 누락되어 있어 향후 보완이 필요하다.

상기 기본계획에서 첨단 과학기술 및 디지털화 관련 세부과제는 전략3('미래대응형 스마트 물류기술 개발 및 확산')에 포함되어 있으나, 주요 육성 분야는 드론, 물류센터 로봇기술(자동피킹 로봇, 셔틀로봇 등), 스마트선박, 스마트 컨테이너 등이다.

④ 한국 해운·물류 신뢰 회복 및 경쟁력 강화 정책 수단으로 블록체인 적극 활용

블록체인 기술 도입에 따른 국제물류 가시성 제고 및 비용 절감으로 화주 서비스 향상 및 물류비용 경쟁력 확보가 필요하다. 또한, 항만당국 또한 비상시를 대비하거나 마케팅 차원에서 해당 항만 중심의 국제 물류 가시성 확보도 필요하다. 따라서 컨테이너선사 및 물류기업과 적극 협력하여 해당 항만을 이용하는 컨테이너 화물의 이동 및 거래 정보를 즉시 파악할 수 있는 시스템 구축이 필요하다.

블록체인 기술 도입에 따른 전자문서교환 양식의 표준화 문제 대두가 예상되어 참여 주체간의 입장 조율이 쉽지 않아 적정 시기를 놓칠 가능성이 있다. 블록체인의 도입은 물류활동의 효율성 제고와 비용절감 측면에서 큰 장점이 있을 것으로 전망되나, 선사, 터미널, 화주, 포워더, 세관 및 항만당국 등 천차만별인 전자문서교환 양식의 표준화 합의 도달까지 상당한 시일이 소요될 것으로 예상된다.

이를 위해서는 참여 주체간 협력 및 합의 도출을 위한 해양수산부, 관세청 등 공공의 역할이 어느 때보다 중요하다. 특히 우리나라 또는 우리 기업의 블록체인 기반 표준양식이 없을 경우, 향후 타 국가나 타 국적의 해운·항만·물류기업이 주도한 표준양식을 활용해야 하는 문제도 발생 예상된다.

특히 해양수산부와 관세청이 블록체인 플랫폼에 참여하기 위해서는 「선박의 입항 및 출항 등에 관한 법률」 및 「관세법」에 따라 기존 중계사업자에게 관련 업무를 위탁하거나 새로운 중계사업자를 지정해야 한다. 또한 해양수산부의 항만운영정보시스템과 관세청의 국가세관종합정보망 등에 존재하는 수많은 B2G 전자문서 표준양식을 그대로 활용할 수 있는지에 대한 검토도 필요하다.[48]

48) 블록체인 기술 적용으로 컨테이너 화주의 비용 20% 절감 가능 - 한국 해운·물류의 경쟁력 제고 기회로 적극 활용해야 -, KMI 동향분석, 2017.04

VIII. 참고문헌

8. 참고문헌

[1] 4차 산업혁명과 초연결사회, 변화활 미래 산업, 삼정 KPMG 경제연구원, 2017.06

[2] 블록체인이 가져올 변화와 한계 (물류/유통산업을 중심으로), 박찬석, 우정경영연구센터, 2018

[3] 블록체인 기술의 발전과정과 이해, 피넥터보고서, 2016

[4] 블록체인과 물류/유통 혁신, 그리고 디지털 무역, 삼정 KPMG 경제 연구원, 2018.06

[5] 블록체인을 이용한 해운물류 혁신, KOTRA 싱가포르무역관

[6] 4차 산업혁명의 중소기업 수출 영향 및 정책방향, 산업연구원

[7] 해외 주요국 블록체인 시장 전망 및 기업 동향, SPRI, 2018.12.26

[8] 글로벌 물류기술 주간동향, 한국교통연구원, 2017.04.25

[9] 글로벌 물류기술 주간동향, 한국교통연구원, 2018.07.03

[10] 블록체인의 확산과 해운·물류분야의 대응, KMI 동향분석, 2019.01

[11] 블록체인 기술 적용으로 컨테이너 화주의 비용 20% 절감 가능 - 한국 해운·물류의 경쟁력 제고 기회로 적극 활용해야 -, KMI 동향분석, 2017.04

[12] 블록체인 핵심기술 및 국내외 산업 분야별 적용 사례. 국경완

[13] 아주경제, “블록체인 투자와 지원에 발 벗고 나선 미중일 정부”, 2020. 2.

[14] 동아일보, “사업방식도 바꿀수 있는 블록체인 기술”, 2020. 3.

[15] 한국경제, “삼성·LG 이어 SK도 블록체인 플랫폼 출시, 대기업이 뛴다”, 2019.4.

[16] 정기석, “블록체인 산업 현황 및 국외 정책동향”, 정보통신산업진흥원, 2019. 12

초판 1쇄 인쇄 2019년 4월 1일
초판 1쇄 발행 2019년 4월 12일
개정판 발행 2021년 1월 25일

편저 ㈜비피기술거래
펴낸곳 비티타임즈
발행자번호 959406
주소 전북 전주시 서신동 780-2번지 3층
대표전화 063 277 3557
팩스 063 277 3558
이메일 bpj3558@naver.com
ISBN 979-11-6345-237-9(13560)
가격 60,000원

이 도서의 국립중앙도서관 출판예정도서목록(CIP)은 서지정보유통지원시스템 홈페이지 (http://seoji.nl.go.kr) 와 국가자료공동목록시스템 (http://www.nl.go.kr/kolisnet)에서 이용하실 수 있습니다.